第一章　小学儿童发展心理学概述

学习目标：

1. 理解小学儿童发展心理学的研究对象和内容。
2. 掌握小学儿童发展心理学的研究方法。
3. 了解科学儿童心理学的诞生和发展过程。

内容概要：

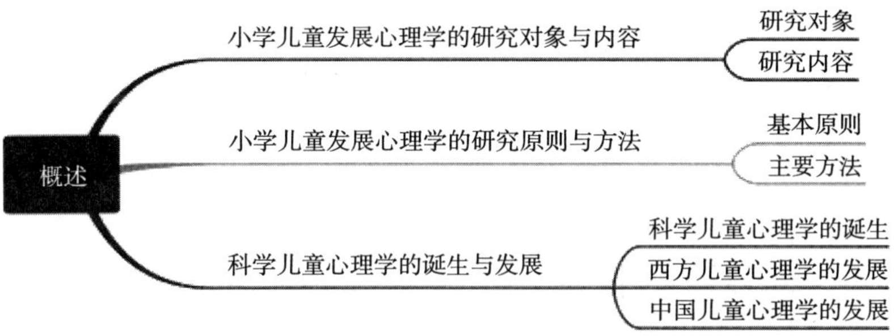

案例导读：

子涵，小学四年级学生，就读于M市一所重点小学。一贯成绩优秀的子涵，升入四年级以后，数学成绩有明显的下降。子涵的父亲毕业于名牌大学计算机专业，一直被周边的朋友誉为“数学天才”，面对女儿数学成绩的下滑，父亲决定亲自上阵，准备多花点时间给女儿进行课外补习，在父亲看来“小学数学哪有什么难的?”“只要有我这个数学天才的指点，女儿成绩必定回升。”但是，事与愿违，父亲越辅导，子涵的数学学得越糊涂，辅导三次以后，子涵非常正式地跟父亲提出：“爸爸，以后不会的题我还是去问老师吧，你讲过了我还是不懂，但老师讲过了我就懂了。”子涵父亲百思不得其解：“为什么我一个名牌大学毕业的数学高手，给四年级的孩子讲题会这么困难？为什么我认为讲得很清楚的数学原理孩子总说听不懂？孩子成绩一直都好好的，为什么到了四年级数学成绩会突然下降？”

思考：小学教育专业的学生为什么要学习儿童发展心理学？

小学教育是基础教育的第一个阶段，与其他阶段不同，其具有基础性、全面性和养成性等特点。所以，小学教育工作者需要全面而深刻地认识和掌握小学儿童的身心发展过程，形成科学的学生观、教育观，从而更好地为促进小学儿童身心健康成长。

第一节 小学儿童发展心理学的研究对象与内容

一、小学儿童发展心理学的研究对象

从心理发展的角度来看，儿童这一概念有广义和狭义之分，广义的儿童是指从出生到成熟的个体。一般认为，个体的发育成熟大致在十七八岁，所以，从出生到 17、18 岁的人类个体都可称为儿童。狭义的儿童则特指小学儿童，一般为 6、7 岁至 11、12 岁，即童年期。

小学儿童发展心理学是研究小学儿童心理发展规律和特点的科学，又称为童年期发展心理学，是儿童心理学的一个组成部分。具体地说，它研究小学儿童认知的发展、言语的发展、智力与创造力的发展、品德与个性的形成，以及这个时期的心理健康状况等内容。

阅读专栏 1-1：学习小学儿童发展心理学对未来教师的意义

小学阶段是整个儿童期十分重要的阶段，年龄跨度大（6～12 岁），心理发展变化快。初入学的小学儿童在很大程度上保留着幼儿后期的心理特点，而临近小学毕业的儿童已接近青春期。在小学阶段，儿童的生理、心理都经历了重大的变化。小学儿童心理学科的知识表明，小学儿童有自己独特的认知、情感表达方式，有自己独特的个性特征和发展规律。

小学儿童是小学教育专业的学生将来的工作对象，小学儿童心理学是一门理论性和应用性相结合的学科，是小学教育专业的必修课程。学习小学儿童心理学的主要目的是掌握小学儿童成长过程中的各种心理现象和规律，从而使得未来的教育、教学活动建立在科学的心理学知识基础上，同时学会运

用心理学的原理，把握科学的教育方法，以有效地指导并促进儿童的发展。

资料来源：陈威．小学儿童心理学[M]．北京：中国人民大学出版社，2014：10.

二、小学儿童发展心理学的研究内容

小学儿童发展心理学的研究内容主要集中在以下几个方面：

（一）描述小学儿童心理发展的普遍模式

心理发展模式具有普遍的意义，它反映生活在各种文化背景下的儿童共有的心理发展过程①。小学儿童心理学描述小学儿童身心发展的普遍模式，包括认知发展、语言发展、智力与创造力的发展、个性和社会性的发展、性别角色的发展、道德品质的发展等。

（二）测量和解释小学儿童心理发展的个别差异

尽管小学儿童的心理发展遵循着相同的模式，但必须注意到发展的个别差异，因为每个儿童心理发展的速度及最终达到的水平并不相同。在测量和解释小学儿童心理发展的个别差异时需要回答这样一些问题：小学儿童个体间的差异是如何造成的？这些差异怎样才能得到准确的评估？如何科学地解释小学儿童之间的个体差异？

学 以 致 用

小虎，不满9周岁，但已经上小学五年级了。1岁半起就非常喜欢识汉字、认图形，能够从1数到100时才23个月。3岁时，就会读小人书了。幼儿园小班没待多久就去了大班。在大班同样没待多长时间就随同班的孩子一起进了小学，当时只有5周岁。上了小学以后，任课老师都说小虎特别聪明，已经连续跳过两次级了。最近，班主任老师又建议让他提前去读中学。通过对小虎进行智力测验发现，他的知识面很宽，显示出对外在世界的广泛兴趣和旺盛的求知欲；对数字及语词都甚为敏感，接受能力强，计算反应快而准，语言理解深刻且表达丰富。但是，在需要动手操作的智力测验项目上反应平平，有些方面不如一般儿童。综合言语与操作两方面的评价，他的智商水平是中等偏上。对小虎进行性格评估的结果显示，他比较缄默孤独、易出现情绪反复、任性散漫，难与大集体同步。

思考：你如何看待心理发展的个体差异性？

---

① 林崇德．发展心理学[M]．北京：人民教育出版社，2018：10.

（三）揭示小学儿童心理发展的原因和机制

小学儿童发展心理学既要探讨小学儿童心理发展的普遍模式、解释个体差异，还要探究促使小学儿童心理发展的根本原因。例如，小学儿童的语言是怎样发展的？为什么不同民族、不同国家的小学儿童，尽管他们的母语并不相同，可是语言的发展却会经历相似的阶段呢？语言发展有没有共同的先天机制呢？长期以来，学者们对小学儿童心理发展原因和机制的研究，为我们更深入了解小学生心理发展状况提供了指导。

（四）提出帮助与指导小学儿童心理发展的具体方法

描述小学儿童心理发展的模式、测量和解释发展的个别差异、揭示小学儿童心理发展的原因和机制，最终目的是帮助小学儿童正常、健康地发展。例如，通过对小学儿童认知与行为特点的探讨，提出培养儿童集中注意力、学会自我控制的方法，从而减少其多动行为。

通过对上述小学儿童发展心理学研究内容的分析，不难看出，小学儿童发展心理学处于基础研究与应用研究的交叉面上，其研究的结果既能深化我们对小学儿童心理发展相关问题的认识，也有助于我们解决小学儿童心理成长过程中的实际问题。

第二节　小学儿童发展心理学的研究原则与方法

小学儿童发展心理学的研究原则是指在研究小学儿童心理时所必须遵循的基本要求。小学儿童发展心理学的研究方法是研究小学儿童心理时所采取的方式和手段。为了更好地研究和探讨小学儿童的心理问题，必须掌握小学儿童发展心理学的基本研究原则和主要的研究方法。

一、小学儿童发展心理学的基本研究原则

（一）客观性原则

客观性原则是指研究者应实事求是地揭示小学儿童心理发展的本来面貌，不能主观臆想。由于小学儿童心理活动纷繁复杂，在研究中很容易产生武断和片面的缺点。因此，为了科学地揭示小学儿童心理发展的规律，任何结论都必须在对所得的全部事实材料和数据进行全面分析的基础上做出，不能凭借研究者的主观臆测来肯定或否定某种结论。

在贯彻客观性原则时，要根据客观事实揭示小学儿童心理发展的本质和规律，搜集资料时，如实记录外部刺激、机体反应和行为表现，对资料要进行全

面分析，尤其注意与已有结论不一致的事实，防止以偏概全。

（二）发展性原则

发展性原则就是坚持发展的观点，对小学儿童的心理变化进行动态研究。小学儿童的心理处于不断变化发展之中，这就要求研究者必须遵循发展性原则开展研究。这一原则要求在研究中应该用发展的眼光来研究小学儿童心理，即不仅要研究已经形成的心理特点，还需要关注那些刚刚萌芽的新特点及其发展趋势。

（三）教育性原则

教育性原则是指在进行小学儿童的心理研究时要符合教育工作的基本要求，研究者必须对小学儿童的身心发展负责，这是研究者必须遵循的职业道德。在具体的研究过程中，不能开展对小学儿童身心发展有害的研究，不允许向被试者出示与教育目的、任务相矛盾的问题、作业、图片和视频材料等，更不允许与道德教育相违背的研究活动出现。因此，在设计研究内容、选择研究方法时，都要考虑是否有利于小学儿童身心健康，是否有利于小学儿童的心理发展。

（四）定量研究与定性研究相结合的原则

定量研究就是对事物进行量的分析和研究，也就是通过解决“有多少”“是多少”等数量问题来对事物进行研究，侧重于用数字来描述、阐述所研究的事物及其观点，同时揭示其所存在的各种问题。

定性研究是对事物质的方面进行分析和研究。定性研究是一种探索性研究，也是一个发现问题的过程。定性研究主要想解决“是什么”“为什么会发生”等本质性的问题，对所研究的事物做出语言文字的描述，从而达到反映研究对象特征和本质的目的。定性研究侧重于用语言文字描述、阐述某一事件、现象和问题。例如，对小学儿童动机行为的具体特征、注意力集中的表现、参与教学的状况、师生互动的情况、课堂气氛以及学生的主观报告等进行分析。

小学儿童的心理现象是十分复杂的，因此，在研究中既要重视定量研究，也要重视定性研究。

二、小学儿童发展心理学的主要研究方法

心理学的研究方法有很多，以下介绍几种小学儿童发展心理学领域常用的研究方法。

（一）观察法

观察法是指研究者有目的、有计划地对儿童的行为表现进行系统的观察，

以获取研究资料的方法。例如，达尔文以日记的方式记录了对自己孩子长期的观察结果，以此著有了《一个婴儿的传略》。观察法是研究儿童心理最基本的方法。

从不同的观察目的出发，可以采用不同的观察方法，如根据研究时间的长短，可以采用长期观察或定期观察。前者是指在比较长的时间内持续进行的、系统的观察；后者则是在某一时间内进行的观察，如每周观察几次，每次一到两个小时，观察了若干次后，整理、分析记录材料。根据研究的内容不同，可以分为全面观察和重点观察，通过全面观察了解儿童在一定时期内全部的心理表现，例如，小学教师为了给儿童做出个性鉴定而进行的全面而经常的观察。由于全面观察涉及的项目比较多，因而观察的时间比较长。重点观察法主要了解儿童在一定时期内，某一活动或某些环节的心理及行为表现，如观察小学一年级儿童上课时的注意特点，观察小学生在参加集体活动时的心理特点等。

观察是一种专门的技术。在运用观察法研究儿童心理时，需要注意以下几点：首先，要明确观察目的和界限，即明确所要观察的行为及其范围，选择那些与研究课题密切相关的行为去研究。例如，想探究小学儿童课堂学习行为状况，就必须要明确究竟哪些行为是课堂学习行为。在研究之初，研究者通常会在头脑中预想一系列的观察方案，然后借助先前的资料来界定观察的范围、行为的种类。其次，要使被观察者处于自然的、无干扰的状态，使其观察结果更具客观性。最后，需要做准确而客观的记录，最好在观察前编制出观察记录表格，以便事后进行整理分析，必要时可以采用适当的辅助手段，如照相、录音和录像等。

观察法的优点是在自然情境下研究儿童的心理，所获得的资料相对真实，且比较简便、易行。观察的内容一定是对象外显的行为，其结果是描述性的。它能为随后进行的控制更为严格的研究提供重要资料，研究者可以据此提出问题，进一步形成研究假设。但由于观察法基本是描述性的，研究者难以对各因素间的关系作出推论。有些要观察的行为在自然状态下会较少发生或预计不会发生，所以有时候研究人员会采用设计观察。

（二）调查法

调查法是根据某一特定的要求，以提问题的方式了解个体或团体的心理和行为的方法。在研究某个被试时，既可以对被试本人做调查，又可以对熟悉被试的人进行调查；既可以用书面的问卷调查，又可以口头访谈。调查法与观察法不同，观察法主要是收集观察对象客观的、外显的行为资料，调查法则可以收集到被试进行某种心理活动的内部过程和内隐行为。

1. 访谈法

访谈法是通过研究者与被调查者面对面的交流、谈话从而收集资料的方法。不同于日常谈话的是，访谈有明确的目的，且谈话过程也主要由访谈者引领话题。访谈可分为个别访谈与集体访谈（同时对多个被试进行访谈）。一般分为见面、与访谈对象建立融洽的关系、正式访谈和告别四个阶段①。访谈中能否充分地收集到信息取决于这几个阶段中访谈者的访谈技巧，最重要的是要让受访者对访谈人员产生信任感。访谈者要注意研究和掌握访谈对象的心理状态，同时要具有熟练的谈话技巧，使谈话能够顺利地进行。

访谈法是一种个别测定的方法，这种方法灵活性强、适用范围广，可以较详尽地了解儿童心理发展的具体表现和有关细节。但是，受匿名性低的影响其真实程度会受到限制；另外，访谈结果可能受访谈者的表情、语调、性别、服装等因素的影响而出现偏差。

阅读专栏 1-2：访谈法举例：《6～15 岁儿童对友谊特性的认知发展》

在该项研究中，研究者使用了访谈法，访谈提纲包括如下问题：①你在班上有几个好朋友。有没有最好的朋友？（如果答“没有”，可以提示“你再好好想一想”；如果仍答“没有”，则从第 6 题开始。）②谁是你最好的朋友？③他（她）为什么是你最好的朋友？你们在一起做什么？你们在一起谈些什么？④你和好朋友在一起有没有不高兴的事，如争吵或者打架？为什么？这些不高兴的事主要有哪些方面？发生这种事你怎么办？⑤好朋友在一起有没有比赛（或竞争）？为什么？⑥你在班上有没有一个同学和你关系不好？（对于小学儿童，可不要求说出名字，只要说出性别即可。）⑦为什么你和他（她）最不好？⑧如果你和某个同学是好朋友，应该是怎样的？⑨你和好朋友会不会一直好下去？为什么？

资料来源：李淑湘，陈会昌，陈英和．6～15 岁儿童对友谊特性的认知发展[J]．心理学报 1997，29（1）：53.

2. 问卷调查法

问卷调查法是指用统一的、严格设计的书面问题对儿童观点进行关于其行为或观点的提问，根据收回的答案，经过统计处理或文字总结，探索儿童心理活动特点与规律的方法。例如，想了解母亲对待儿童的态度和行为是否直接影响儿童的自尊水平，可以选取一组小学儿童和他们的母亲作为被调查对象，采用小学儿童母亲行为问卷、小学儿童自尊问卷进行测试。

---

① 刘电芝．儿童发展与教育心理学[M]．北京：人民教育出版社，2006：11.

按问卷设计的形式，分为开放式问卷和封闭式问卷。开放式问卷是指问卷设计人员对答卷人的回答没有限制，让答卷人根据自己的情况作出回答，答案可多可少；封闭式问卷是指问卷设计人员明确规定了回答每个问题的几种可能答案，答卷人只能从给出的几种答案中选择适合自己情况的某一种或某几种答案。

问卷调查简便、易行，可以在短时间内同时对众多个体进行广泛考察，从而收集大量的信息资料。但是这种方法的缺点也比较多，儿童的回答往往不能代表其真正的心理状态。记录者缺乏训练，不善于掌握问卷的标准，以及分析资料的统计方法比较简单，都可能影响这一方法的科学性。在小学儿童心理的研究中，问卷法不可不用，也不可滥用，问卷法只能作为一种辅助性的研究工具。

在问卷设计中，特别要注意的是：第一，问卷中的题目数量不应过多、题目叙述要简明易懂，不能在理解上出现歧义。第二，对于低年龄的儿童，问卷主要采用封闭式，而对于年龄大一些的儿童，问卷既可采用封闭式，也可采用开放式。第三，对问卷结果进行统计分析前，要先判定问卷的回答是否有效。

以上两种调查常常结合进行，访谈可为问卷的条目编制提供丰富的参考信息，而在问卷调查的基础上，通过访谈可以使得问题进一步深入。

（三）实验法

实验法是指根据研究目的，改变或控制某些条件以引起个体某种心理活动的变化，从而揭示出特定条件与这种心理活动之间关系的方法。实验法是心理学研究中科学性最强的一种方法。从本质上讲，实验也是一种观察，只不过是一种有控制的观察。在这种观察过程中，研究者具有更大的主动性。

在实验中，由实验者操纵的变量称为自变量或实验变量，由自变量引起的被实验者的某种特定反应称为因变量。在一个实验中，至少应该有一个自变量和一个因变量。实验对无关变量控制得越好，结果越精确。理想的实验通常是，实验结果仅来自自变量，而未受其他因素影响。当自变量的个数或水平发生变化，因变量的结果也会有所变化。因此，如果要寻找变量间的因果关系，心理学家通常采用实验研究。在典型的实验中，他们会随机分配一些人接受一种处理，而另一些人接受另一种处理或者不接受处理。因为开始时的随机分配平衡了这些不同的组，所以后面出现的差异完全可以推断是由自变量引起的。

在儿童心理学的研究中，常用的实验法有以下几种：

1. 自然实验

自然实验是指在儿童日常生活和活动的自然条件下，引起或改变影响儿童的某些条件来研究儿童心理特征变化的方法。

自然实验是研究儿童心理的重要方法。其优点是把实验寓于儿童真实的生活和学习情境中，研究所得到的结果更符合儿童实际，同时结合教育、教学实际，研究结果能够为教育、教学服务，针对性强；其缺点是不容易控制影响实验结果的因素，结果的精确性较实验室实验低。

2. 实验室实验

实验室实验是指在特别创设的情境下，引起或改变一种或几种影响儿童心理变化的条件，从而观察儿童行为变化的方法。这种方法有时要利用专业的仪器和设备。

采用实验室实验法可研究小学儿童高级神经活动发展的特点以及感觉、知觉、记忆、思维等心理过程的发展特点。例如，用脑电图仪可以测定小学儿童思维活动时脑电波变化的情况，采用速示仪可研究记忆发展的特点。实验室实验的最大优点是对实验条件能进行严格控制，实验结果可以重复且精确度高；其主要缺点是研究情境的人为性，实验情境与小学儿童的实际生活有一定差距，可能会使小学儿童产生不自然的心理状态，有时难以将结论推广到日常情境中去。因此，这种方法很难被用来研究一些复杂的心理特点，如小学儿童的个性品质，以及小学儿童的道德心理等。

采用实验法做研究，必须做好实验设计。所谓实验设计就是用来收集资料的程序。最简单的实验设计是实验者在控制其他条件不变的前提下操纵一个自变量以观测其对一个因变量的影响。但是，心理学的研究往往不是一因一果，而是多因一果，这就需要操纵几个自变量。例如，为考察探究性学习效果而进行了一项“小学生探究性学习实验研究”。在此研究中，可以选取两个平行班的小学生进行实验，其中，一个班为实验班，另一个班为对照班。一个学期后，考察两个班的学习效果。实验过程中要控制好无关变量，即除了所操纵的自变量之外其他因素均未对学习结果产生影响，包括这两个班学生本身可能存在的差异，同时严格执行实验方案，避免一切可能的其他影响。只有这样，最后才能得出结论，即：两个班学习效果的差异是探究性学习所带来的。

学 以 致 用

在一项“发展学生创造性思维的实验研究”中，选择条件大致相同的三个平行班。甲班每周开设一节思维训练课，每一学期开展 4 次创造性活动，乙班只开设与甲班类似的 4 次创造性活动，丙班为对照班，一切照旧。学期初 3 个班学生进行创造性思维测试，成绩接近。学期末复试，甲班最好，乙班次之，丙班最差。实验证明，开展创造性活动有利于学生创造性思维的发展；既开展创造性活动，又开设思维训练课，可加速创造性思维的发展。

思考：该项实验研究是自然实验还是实验室实验？为什么？

（四）测验法

测验法是指通过心理测验研究儿童心理或行为差异的方法。一般是用一套标准化的题目按规定的程序，对个体心理或行为的某一方面进行测量，然后将测量结果与常模进行比较，从而做出个体在某方面发展水平或特点的评定或诊断①。

采用测验法往往能够使研究者在较短时间内粗略了解儿童的发展状况。但是，这种方法也有严重的缺陷，如：测验只是作量的分析，缺乏质的研究。测验题目很难同时适合于不同生活背景的儿童。因此，心理测验只能作为了解小学儿童心理的方法之一，在具体开展研究的过程中应该与其他方法配合使用。

阅读专栏 1-3：心理测验

自 20 世纪初兴起以来，心理测验已被广泛地运用到智力鉴别、人才选拔、就业指导、临床诊断等领域。心理测验可以为了解学生学习结果、衡量教师教学水平以及检验教育改革效果提供重要信息，其在教育心理学中的运用相当普遍。依据不同的角度，心理测验可以分为不同的类型。如依据测验的目标，可分为学业成就测验、智力测验、能力倾向测验、创造力测验、意志力测验、人格测验等；依据测验材料的性质，可分为文字测验和非文字测验；依据测验结果的评价标准，可分为常模参照测验、目标参照测验；依据测验来源，可分为标准化测验、教师自编测验；依据测验的对象，可分为团体测验、个别测验。

资料来源：陈威．小学儿童心理学[M]．北京：中国人民大学出版社，2016：16.

（五）作品分析法

作品分析法是通过对儿童作品的分析了解儿童心理活动的一种方法。儿童的作品很多，如日记、作文、绘画、各种作业、工艺制作等。这些作品可以用于分析儿童某一方面的心理活动，如作文和日记既可以用于分析儿童思维和语言的发展，又可以用于分析儿童兴趣和理想的发展。

综上所述，小学儿童心理的研究方法是多种多样的，在具体研究中，应从自己的研究目的和课题出发，选用最合适的方法。由于各种方法都有其优缺点，因而在研究中经常不是单独地采用一种方法，而是根据研究的需要采取综

---

① 陈威．小学儿童心理学[M]．北京：中国人民大学出版社，2016：16.

合的方法；或者以某种方法为主，以其他方法为辅；或者交替运用几种方法，以使获得的研究结果互相补充和印证，从而使研究结论更具科学性。

第三节　科学儿童心理学的诞生和发展

近代西方社会的发展及新的儿童观的产生是推动儿童心理学产生的首要原因。随着时代的变迁、社会需求的变化、学科的融合、研究技术的更新，儿童心理学得到了极大的发展，呈现出令人欣喜的进展。

一、科学儿童心理学的诞生

科学儿童心理学的诞生，主要受近代人文主义教育思想、进化论思想的影响，与西方哲学思想和教育发展有关。近代西方一些人文主义教育家，如卢梭（J. J. Rousseau）、裴斯泰洛奇（J. H. Pestalozzi）、福禄贝尔（F. Froebel）、夸美纽斯（J. A. Comenius）等人提出的尊重儿童、了解儿童的教育思想，为儿童心理学的诞生奠定了最初的思想基础，而达尔文（C. Darwin）的进化论直接推动了儿童心理发展的研究，达尔文根据长期观察并记录自己孩子的心理发展而撰写的《一个婴儿的传略》是儿童心理学早期专题研究成果之一，它对推动儿童心理发展的传记法研究有重要影响。英国哲学家洛克（J. Locke）的“白板说”和卢梭“尊重自然，按照儿童特点进行教育”的自然教育理论对儿童心理学理论的形成有着深刻的影响，达尔文、洛克和卢梭也被认为是“科学儿童心理学的先驱”。

1882年，德国生理学家和实验心理学家普莱尔（W. Preyer）在对自己的孩子追踪研究三年的基础上，出版了第一部科学的、系统的儿童心理学著作《儿童心理》，它标志着科学儿童心理学的正式诞生，普莱尔因此被称为“科学儿童心理学的奠基人”①。

二、西方儿童心理学的发展

西方儿童心理学的发展变迁，大致可以分为以下三个时期。

（一）形成时期

1882年至第一次世界大战期间，是西方儿童心理学的形成时期。这个时期，欧洲和美国出现了一批心理学家，他们开始用观察和实验的方法研究儿童心理发展。继普莱尔之后，有一些先驱者和开创者，如美国的霍尔（G. S. Hall）、鲍德

① 林崇德．发展心理学[M]．北京：人民教育出版社，2018：12.

温（J. M. Baldwin）、杜威（John Dewey）、卡特尔（R. B. Cattell）、法国的比奈（A. Binet）和德国的施太伦（W. Stem）等，以他们的出色成就为这门学科的建立和发展做出了自己的贡献。

1. 霍尔和复演说

霍尔（G. S. Hall）是美国历史上第一位心理学哲学博士，他在美国创建了第一个心理实验室，是推动美国儿童心理学研究最重要的人物之一。霍尔认为，胎儿在胎内的发育复演了动物进化的过程，而人类儿童时期的心理发展复演了人类进化的过程，因此他提出了儿童心理学上的复演说，这在心理学界引起了很大的讨论。

另外，霍尔首创了问卷法，用于研究儿童与青少年的行为、态度、兴趣等，掀起了一股儿童研究运动。时至今日，问卷法仍然是社会科学领域的重要研究方法。

2. 鲍德温的融合理论

鲍德温（J. M. Baldwin）曾任美国第四届心理学协会主席、国际心理学联合会主席。他的著作主要有《心理学手册》等。鲍德温儿童心理学的主要观点为融合理论，他将发展分为儿童认知的发展；人格的社会和认识基础；行为的个体发生与种系发生的关系三个部分，三者相互交织、密不可分。

3. 杜威的儿童中心思想

美国实用主义教育家杜威（John Dewey）是 19 世纪美国传统教育的改造者和新教育的拓荒者，他提倡从儿童的天性出发，促进儿童的个性发展。杜威将心理学、教育学和哲学三者结合起来，提出了以儿童为中心的教育原则。杜威认为，教育就是儿童现在生活的过程，而不是将来生活的预备；教育是一种社会生活，学校是社会生活的一种形式；杜威批判传统的学校教育，认为儿童应当从活动和经验中进行学习，儿童是教育的目的而非手段，教育措施一定要围绕儿童来实施。杜威的思想可以归结为：教育即生活、学校即社会、教育即经验的不断的改组或改造。

4. 比奈和西蒙的智力测验。

1905 年，比奈（A. Binet）和西蒙（T. Simon）合作设计了由 30 个测验项目构成的世界上第一个测验儿童智力的标准量表，即比奈—西蒙智力量表。这个量表的测验项目较多，测验项目的难度排列由浅而深，可以测量儿童智力多方面的表现。

（二）分化和发展时期

第一次世界大战和第二次世界大战期间是西方儿童心理学分化和发展的时期，儿童心理学的研究和著作在数量和质量上都有了飞跃发展，且出现了精神分析学派、行为主义学派、格式塔学派等各种论述儿童心理发展的理论流派。各理论流派不断发展，不断为儿童心理发展研究注入新的活力。

（三）演变和发展时期

第二次世界大战后是西方儿童心理学的演变和发展时期，主要表现在两个方面：一是儿童心理学的理论观点发生了演变，出现了新精神分析、新行为主义等理论流派。二是关于儿童心理发展的研究方法也不断现代化，研究者开始将新的研究手段运用到儿童心理发展的研究中，并将儿童心理研究与社会实践相结合，丰富了儿童心理发展的理论和内容。

三、中国儿童心理学的发展

在西方儿童心理学传入中国之前，我国早就有丰富的阐述儿童心理发展的思想。例如，在对人性的善恶和先天与后天因素对心理发展作用的看法上，孔子主张性善论，强调环境、教育因素对个体发展的影响，认为“人之初，性本善”；荀子主张性恶论，认为“人之性恶，其善者伪也”，教育应当起到化性起伪的作用；而墨子提出了中国的“白板说”，他认为“染于苍则苍，染于黄则黄，故染不可不慎”。这些思想虽然是朴素，甚至带有猜测性，但却是我国最早的关于儿童心理的论述。

20 世纪 20 年代，科学儿童心理学传入我国。这一时期我国有关儿童心理发展的研究深受欧美儿童心理学的影响，我国的儿童心理学家主要的工作是学习和传播西方的儿童心理学。最早讲授和研究儿童心理学的是陈鹤琴先生，他对国内的儿童心理学进行了开拓性的研究工作，因此被誉为中国儿童心理学的开拓者和最早的儿童心理学家。陈鹤琴先生用儿童传记法每天观察和记录自己儿子的身心发展状况，结集成书并出版了《儿童心理之研究》，这是我国一本较早的儿童心理学教科书。

中华人民共和国成立后，我国开始学习苏联经验，在儿童发展领域的教学和研究上都照搬苏联模式，并且对西方心理学进行学术批判。但是这一时期确立了以辩证唯物主义为指导思想，坚持理论联系实际的路线。

20 世纪 50 年代后期到 60 年代中期，我国儿童发展研究迎来了第一个繁荣时期，数以百计的儿童心理学研究论文提交到了历届心理学学术年会上，这其中贡献较大的是儿童心理学家朱智贤等人。早期的儿童心理学研究者们在总结科研成果的基础上，结合我国实际编写了中华人民共和国成立以来的第一批儿童心理学领域的教科书，为推动我国儿童心理学的教学起到了积极的作用。朱智贤在 1962 年出版的《儿童心理学》标志着中国儿童心理学科学体系的确立。

改革开放以来，我国儿童发展研究又迎来了一个空前繁荣的时期，在儿童发展的基础研究和应用研究方面都取得了令人瞩目的成就，儿童心理学研究的范围也得到了很大的扩展。近十年来，我国儿童心理学更加重视儿童社会性发展的研究，并结合社会需要注重应用性的研究。目前，我国儿童心理发展研究基本跟上了国际儿童心理发展研究的步伐，出现了与国际儿童心理发展研究并驾齐驱的发展趋势。

思考与练习：

1. 简述小学儿童发展心理学的研究内容。
2. 小学儿童发展心理学有哪些基本的研究原则。
3. 试着选择一种研究方法探索小学生友谊发展的特点。
4. 简要说说西方儿童心理学的诞生及演变过程。

第二章　小学儿童心理发展的生理基础

学习目标：

1. 了解小学儿童生长发育的特点。
2. 理解影响小学儿童生长发育的因素。
3. 了解小学儿童神经系统发育的特点。

内容概要：

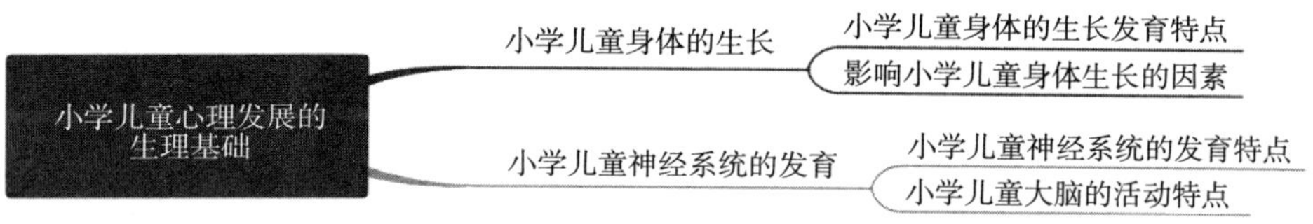

案例导读：

盖吉原来是一名铁路工人，负责在铁路铺设的沿途炸掉阻塞通道的障碍物。1848 年 9 月 13 日，正当盖吉用一根铁锹把甘油炸药填塞到孔中的时候，一点火星意外地点燃了炸药。当时他的头正歪向一边，提前引爆的甘油带来的巨大冲击力将他手中的铁锹从他的左颅骨下方穿入头部，然后从头顶飞出，落在身后二十几米的地方，当时他的意识还清醒。人们用卡车把他送回旅馆，他还能独自走上楼。随后的 2～3 周内，他濒于危亡。但到 10 月中旬他却逐渐恢复，又可以工作了。盖吉的身体伤害并不严重，左眼失明、左脸麻痹，姿势、运动和言语无恙；但在心理上，却变了一个人，医生对此有很清楚的解释：他的理性和动物性之间的平衡似乎已遭破坏。他会随时发怒，还伴有无礼的行为和污秽的语言，再也不听从朋友们的劝阻，特别是当这些劝阻与他的需求冲突时，他表现得很不耐烦。他随时能异想天开地提出很多计划，瞬息间又依次否定，反复无常。他的智力和表现像个孩子，可是却有一个成年男子所具有的强烈本能。他受伤之前虽未受到良好的学校教育，但是具有平衡的心态，受到熟人的尊敬，大家认为他是个机灵、聪明的人，精力充沛、毅力不凡，努力实现自己的计划，就这些方面来说他已经完全变了。他的朋友和熟人都说他“不再是以前的盖吉了”。

思考：导致盖吉发生这些变化的原因是什么？

盖吉的故事为科学家构建脑功能与心理发展之间的关系提供了较早的证据，证明脑是心理过程的基础。处于小学阶段的儿童的生理发展是如何影响其心理发展的呢？本章将对此进行详细介绍。

第一节　小学儿童身体的生长

身体的生长是指身体各器官、系统的长大和形态的变化，是量的改变；身体的发育是指细胞、组织和器官的分化完善与功能上的成熟，是质的改变。两者密切相关，生长是发育的物质基础，而发育状况又反映在生长的量的变化上。小学儿童在幼儿期生长发育的基础上，身体各项功能也在不断分化、增强。本节将介绍小学儿童生长发育的特点和影响小学生生长发育的因素。

一、小学儿童身体的生长发育特点

虽然儿童的生长发育过程会受到多方面因素的影响，并存在个体差异，但儿童的生长发育遵循着普遍的规律。处于小学阶段的儿童，除了具有儿童发展的基本性质外，其生长发育还有本阶段独有的特点。

（一）新陈代谢旺盛

新陈代谢包括同化作用和异化作用两个方面。人体从外界摄取营养物质，将其变为自己身体的一部分，并且储存了能量，这种变化叫同化作用。与此同时，构成身体的一部分物质不断氧化分解，释放出能量，并将分解的产物排出体外，这种变化叫异化作用。小学儿童正处在长身体的时候，同化作用大于异化作用，他们需要从外界摄取更多的营养物质，以保证正常生长的需要。

（二）体格发育在平稳增长的基础上，出现快速增长

6～9 岁属于童年期，此时的儿童处于第一个生长加速期之后，第二个生长加速期之前；10～12 岁属于青春期早期，此时的儿童处于第二个生长加速期的起步阶段。因此，这个阶段的儿童生长发育既有儿童期的特点，即生长发

育基本处于匀速阶段，又有青春期早期出现快速增长的特点。以身高、体重的生长为例，在童年期，体格发育基本上是平稳的，身高平均每年增长4～5厘米，体重平均每年增长2～3.5千克。10岁以后，随着青春期早期的到来，体格发育进入快速增长阶段，这时男孩身高一般每年可增长7～9厘米；女孩一般每年增长5～7厘米；该阶段的儿童体重每年约增加4～5千克。女孩青春期身体生长发育比男孩约早两年，在10岁左右，女孩身高、体重由以前略低于男孩到开始赶上并超过男孩；12岁左右，男孩开始进入青春期，生长速度加快，而此时女孩生长速度已开始减慢；13～14岁时，男孩身体生长水平又赶上并超过女孩。由于男孩生长加速期间增长幅度较大，生长时间持续较长，所以到成年时绝大多数身体形态指标均比女孩高。

（三）骨骼逐渐骨化，肌肉力量尚弱

小学儿童的各种骨骼正在骨化，但骨化尚未完全。儿童期的骨骼有机物和水分多，钙、磷等无机物成分少，所以儿童骨骼的弹性大而硬度小。儿童不易发生骨折，但容易发生变形，不正确的坐、立、行走姿势可引起脊柱侧弯或后凸。这时的儿童肌肉虽然在逐渐发育，但主要是纵向生长，肌肉纤维比较细，肌肉的力量和耐力都比成人差，容易出现疲劳。因此，在劳动或锻炼时，儿童不应该承担与成人相同的负荷，以免造成肌肉或骨骼损伤。写字、画画的时间也不宜过长。

（四）乳牙脱落，恒牙萌出

儿童一般在6岁左右开始有恒牙萌出。最先萌出的恒牙俗称六龄齿，接着乳牙按一定的顺序脱落，逐一由恒牙代替。到12～13岁时乳牙即可全部被恒牙替代，进入恒牙期。此阶段是龋齿的高发期，应该注意口腔卫生。

（五）心率减慢，呼吸力量增强

小学儿童的心率为80～85次/分，明显低于新生儿时的约140次/分和学前期的90次/分左右。这时儿童的肺活量也明显增加，对各种呼吸道传染病的抵抗力有所增强。

二、影响小学儿童身体生长的因素

儿童的生理发育是儿童自身的先天因素与其所处的外界环境相互作用的结果，小学生的生长发育主要受以下因素的影响：

（一）遗传

遗传因素是影响小学儿童生长发育的重要内因之一，它在一定程度上决定机体发育的可能范围。生长发育的许多形态和生理指标，如身高、体重、血压

等都有一定的家族遗传倾向。研究表明，一个人的身高75%取决于遗传因素，25%取决于后天生活条件。高个子的父母其子女个子也较高，矮个子父母的子女也相对较矮。通过观察在相同条件下抚养和不同条件下抚养的同卵双生子的生长发育情况发现，即便在不同条件下抚养，儿童的身高与父母的差异也很小，但体重则有明显差别，这说明身高受遗传因素影响较大，而体重则易受环境因素的影响。

（二）营养

小学儿童正处于生长发育的关键阶段，需要不断地从外界吸取各种营养，作为维持生理活动的物质基础。长期热量不足及蛋白质缺乏的小学生，更有可能患营养不良症。该症状早期表现为易疲倦、精神不振、注意力不集中、体重不增或下降；中期表现为皮下脂肪减少、抵抗力减退、易患呼吸系统或消化系统疾病，严重者可出现恶性营养不良综合征，如表皮脱屑，皮肤弹性差，肌肉萎缩，并可出现多种功能障碍。

合理的营养能促进小学生的生长发育，提高其健康水平。但是，如果过量摄取动物性蛋白和脂肪，长期超热量饮食，会造成大量脂肪在皮下堆积，导致肥胖。研究表明，小学时期的顽固性肥胖可持续到成年，这也是导致成年时冠心病、高血压、糖尿病等疾病的主要原因。

（三）劳动和体育锻炼

正常的体力劳动和体育锻炼是促进小学儿童生长发育、增强体质的重要手段。体育锻炼能够对小学生全身生理功能产生积极作用，从而有效地预防疾病、提高身体素质和运动能力，并使内在生长潜力得到更充分的发挥和更有效的利用。

（四）情绪因素

情绪对小学儿童的生长发育也起着至关重要的作用，长期的抑郁、恐惧、紧张会对小学儿童的身体发育产生负面作用。研究表明，得不到父母疼爱、成长在缺乏关爱的家庭中的小学儿童，其身高比其他儿童低一些，因为常处于消极情绪状态中的小学儿童其体内生长激素的分泌量会减少，另外，消极情绪也会影响儿童的食欲以及胃道、肠道的消化和吸收能力，进而影响其身体发育。

阅读专栏2-1：心理性矮小症

有关统计表明：在第二次世界大战中，德国、西班牙、朝鲜、越南等国家失去双亲的孤儿，平均身高要比同龄儿童矮几厘米。科学家们为此做过试验，他们将一批受到精神压抑的孩子安置到和睦欢乐的环境中，让他们受到模拟亲人的爱抚和家庭的温暖，3个月后约有95%的孩子发育情况发生了变化，生长停滞现象得以消除，身高得到明显的增长，基本上接近其他同龄儿童身高增长的水平。因此，科学家们认为，爱抚的缺乏、精神上的压力和心灵的创伤，都可引发孩子生长发育障碍。现在，人们对于身高要求“越来越高”，为了达到“高人一等”的目标，也会尝试不同的增高方法，但是因为传统观念的影响，很多人对于如何快速增高还是存在众多误区，只有避开这些对于增高认识的误区，才能够实现快速增高的梦想。

资料来源：一白．给“心理性矮小症”孩子的父母支招[J]. 黄河．黄土．黄种人，2010（6）：37.

（五）睡眠因素

相比成人而言，充足的睡眠对小学儿童的影响作用更大。一方面，因为生长激素主要在儿童睡眠时分泌，清醒时生长激素在血浆中的浓度为每毫升 0.001～0.005 微克，而睡眠时生长激素在血浆中的浓度为每毫升 0.01～0.02 微克，甚至达到每毫升 0.04～0.05 微克。另一方面，充足的睡眠对于促进中小学生大脑发育、骨骼生长、视力保护、身心健康和提高学习能力与效率至关重要。所以，儿童期一定要有充足的睡眠，保证其体内生长激素的含量，使其健康成长发育。

2021 年 3 月 30 日，教育部办公厅发布《关于进一步加强中小学生睡眠管理工作的通知》，通知明确指出小学生每天睡眠时间应达到 10 小时，且要求各地教育行政部门要高度重视做好中小学生睡眠管理与指导工作，将学生睡眠状况纳入学生体质健康监测和教育质量评价监测体系，充分利用现代信息技术手段，提高学生睡眠管理的科学性、针对性和实效性。

阅读专栏 2－2：人体生长激素的分泌规律

人体的生长激素是由腺垂体生长激素细胞分泌的，能促进人体各种组织尤其是蛋白质的合成，可以刺激骨关节软骨和骨骺软骨生长从而促进人体的生长发育。它的分泌有以下特点：

（1）脉冲式分泌：昼夜波动比较大，青春前期和青春期的青少年 24 小时内生长激素脉冲数约 6～8 次，平均 3～4 小时 1 次。夜间分泌频率比白天多，在深睡后 1 小时左右，生长激素分泌最旺盛，白天每升则常常低于 5 微克，所以，白天随机测的生长激素水平意义不大。

（2）昼夜节律：正常人入睡后 45～90 分钟可出现生长激素的脉冲分泌峰值，每升最高可达到 50～60 微克，尤其是深睡眠状态时更明显。想长高的孩子要保证充足且高质量的睡眠哦。

（3）运动的影响：运动可以刺激生长激素，正常人刚睡醒时血液中几乎测不到生长激素，起床后轻微活动就可以刺激生长激素分泌，剧烈运动后可以刺激生长激素高峰出现。这就是生长激素运动试验的依据，也是我们让身材矮小的孩子多运动的原因。

资料来源：https://m.120ask.com/news/b_p/269311.

（六）疾病和药物因素

疾病对小学儿童生长发育的影响也很明显。急性感染性疾病会使体重减轻，长期慢性疾病则同时影响体重和身高的增长，内分泌疾病常引起骨骼生长和神经系统发育迟缓，先天性疾病会导致生长迟缓。有些药物也可影响小学儿童的生长发育，如长期使用肾上腺糖皮质激素可致身高增长的速度减慢。

总之，小学儿童的生长发育是一个非常复杂的变化过程，除上述因素外，其他因素，如气候、环境污染、生活规律等对小学儿童的生长发育也有一定的影响。

第二节　小学儿童神经系统的发育

神经系统是人体内起主导作用的调节系统，人体内各器官、各系统的功能都是在神经系统的直接或间接调节控制下，互相联系、相互影响、密切配合，成为一个完整统一的有机体，从而维持正常的生命活动。

一、小学儿童神经系统的发育特点

从脑和神经系统的发育来看，小学生的脑重量已逐渐接近成人水平。随着大脑皮层的生长发育，儿童脑的兴奋过程与抑制过程逐渐走向平衡，觉醒时间逐渐延长，睡眠时间缩短，这使得儿童有更多的时间从事学习活动。

（一）大脑的发育

刚出生的新生儿，大脑皮层表面较光滑，沟回较浅，构造简单，重量仅有390克，约为成人脑重的25%。随着年龄的增长，大脑神经细胞胞体膨大，神经细胞突触数量和长度增加、神经纤维深入到皮层各层，将各层紧密地联系起来。随着神经细胞结构的复杂化和神经纤维的伸长，儿童的脑重逐渐增加，到6～7岁时达到1 280克，为成人脑重的90%；9岁时约为1 350克；12岁时达到了成人的平均脑重量。

小学阶段，儿童大脑皮层的一些区域还在不断增大，其中体积增大最为明显的皮层部位是额叶。生理心理学的大量研究表明，额叶与人类的记忆、行为抑制、思维等高级心理过程密切相关。从人类的种系发展过程来看，额叶增大是现代人类和类人猿在脑解剖结构上的重大区别之一。有研究表明：额叶是脑皮层中成熟最晚的部位。因此，在小学阶段，儿童的额叶显著增大在其高级神经活动上有重大的意义。

小学儿童所有皮层传导通路的神经纤维，在 6 岁末时几乎都髓鞘化了。这时的神经纤维具有良好的“绝缘性”，可以按照一定的通路迅速传导神经兴奋，极大地提高了神经传导的准确性。在小学阶段，神经纤维还从不同方向越来越多地深入到皮层各层，在长度上也有较大的增长。除了神经纤维的发展，小学儿童脑皮层神经细胞的体积也在增大，突触的数量日益增多，它们的发展共同决定了小学儿童大脑机能的完善。

（二）兴奋和抑制机能的发展

兴奋过程和抑制过程是高级神经活动的基本机能，小学儿童的这两种机能都在进一步增强。大脑兴奋机能的增强表现为儿童睡眠时间减少。新生儿每天需要的睡眠时间平均为 22 小时，3 岁儿童为 14 小时，7 岁儿童则为每日 11 小时，12 岁时每天 9～10 小时就足够了。皮层抑制方面，儿童从大约 4 岁起发展内抑制，随着大脑的不断成熟，大脑皮层的内抑制机能不断发展，使得儿童能够更细致地分析外界事物和调控自身行为。然而，与成人相比，小学儿童大脑兴奋与抑制的平衡性较差，兴奋强于抑制。

（三）条件反射的发展

皮层抑制机能是大脑机能发展的重要标志之一。抑制性条件反射是因条件刺激的出现而致使个体反应减弱的现象，对儿童来说意义重大，抑制性条件反射能加强儿童心理的稳定性，提高儿童对外界环境的适应能力。

二、小学儿童的大脑活动特点

大脑皮层的神经活动有两个过程，即兴奋过程和抑制过程。无论是兴奋还是抑制都是能动的，它们都具有扩散集中和相互诱导的运动规律。兴奋过程与抑制过程的矛盾统一和相互协调支配着小学儿童正常的、有规律的活动。

（一）优势兴奋

人能够从作用于自身的大量刺激中，选择出最强的或最重要的，符合本身目的、愿望和兴趣的少数刺激，这些刺激在大脑皮层所引起的兴奋区域称为优势兴奋灶。在兴奋与抑制两个基本神经过程的相互作用中，小学儿童在进行学习活动时，其效率取决于有关的大脑皮层区域是否处于良好的兴奋状态。若这一区域的兴奋占有优势，就形成优势兴奋灶，该区域可以将脑的其他区域的兴奋吸引过来，并对脑其他区域的活动有抑制作用。优势兴奋灶的兴奋度越强，对其他中枢的抑制作用也越强，则儿童的注意力越集中，对其他事物则可“视而不见”“听而不闻”，这时的学习效率最高。优势兴奋灶的形成与儿童的兴趣有关，当儿童从事自身感兴趣的活动时，优势兴奋灶保持的时间较长，注意力也会比较集中。

小学儿童大脑皮层处于优势兴奋灶的区域具有以下几个特点：第一，有良好的反应能力，条件反射容易形成，学习、活动的能力和效率较高；第二，它是随着生物适应性和生活目的性而形成的；第三，优势兴奋灶比较容易消失，年龄越小，这个特点越明显。因此，在小学阶段，如果教学活动单一，优势兴奋灶的兴奋点容易扩散，有意注意不容易持久。因此，教师应该教育儿童有明确的学习目的，运用各种教学形式激发和培养儿童的学习兴趣，以帮助儿童提高学习效率。

（二）始动调节

始动调节是指小学儿童刚开始学习或活动时大脑皮层的工作能力较低，随后逐渐提高，这种启动性现象称为始动调节①。神经细胞和机体其他组织一样具有“惰性”，始动时需要时间来克服；另外，神经系统作为全身协调系统，对其他系统器官的功能调节也需要一定的时间。

始动调节要求教师应进行合理的教学设计，教学内容应由浅入深、由易到难，在安排活动时将难度大的活动放在神经活动的兴奋高潮时进行，使之符合大脑皮层活动能力逐步提高的特点，以获得更好的效果。

（三）动力定型

动力定型是指当身体内外的条件刺激按照一定的顺序多次重复后，大脑皮层的兴奋和抑制过程在时间、空间上的关系就会固定下来，由此建立的条件反射也越来越稳定、准确，人们把这种反应现象称为动力定型，即通常说的习惯②。动力定型的建立需要花费很大神经劳动和很多时间的重复训练才能形成，它形成以后，神经细胞能以最小的损耗收到最大的学习和工作的效果。

小学儿童年龄小，神经系统的可塑性大，容易建立动力定型。在教育教学过程中，应加强小学儿童良好习惯的培养，教师不但要引导他们养成有规律的生活、学习和卫生习惯，而且不要轻易地改变他们已经形成的良好的生活、学习次序，以免破坏已经建立的动力定型。

（四）保护性抑制

保护性抑制是指大脑皮层兴奋区域工作时间过长或刺激强度过大，细胞、

---

① 陈威．小学儿童心理学[M]．北京：中国人民大学出版社，2016：58.

② 黄月胜．小学儿童心理学[M]．北京：北京师范大学出版社，2013：41.

组织或全身机能降低，处于保护性抑制状态，即出现疲劳现象。人们从事任何活动时，大脑皮层兴奋区域的代谢都会逐渐加强，血流量和耗氧量都在逐渐增加。活动开始时，大脑皮层的恢复过程大于损耗过程，从而使得工作能力逐渐提高，如果劳动长时间持续下去，机能损耗过程超过了恢复过程，工作能力则逐渐下降，进而出现保护性抑制。

保护性抑制要求在学习过程中，必须注意疲劳的早期表现，适时休息，防止过度疲劳的现象发生。因此，教师应根据小学儿童的年龄特点，合理安排学习时间和课外活动时间，小学生一天的学习时间一般不超过 6 小时。教师布置作业时，作业量不宜过多，要给小学生留有足够的休息和睡眠时间。

阅读专栏 2－3：小学儿童大脑的工作规律

（1）一节课中的变化规律：在上课的过程中，小学生的大脑工作能力并非持续均衡地发挥作用，而是在课堂的不同阶段表现出一些变化，并且遵循一定的规律。按每节课 40 分钟计算，儿童在刚刚开始的 2～5 分钟处于准备进入课堂教学阶段，此时大脑的兴奋点仍然滞留在课前活动，或者说是处于大脑的兴奋点由课前活动向课堂教学内容转移的过渡过程，这就是始动调节。从 5～10 分钟开始，课前活动的兴奋灶被抑制，课堂教学内容成为大脑兴奋的中心。上课 20 分钟左右时，该兴奋中心具有最良好的应激功能，大脑工作能力达到最强阶段，此时条件反射最容易形成，教学效果最好。此后，大脑开始疲劳，学习效率开始降低，在下课前 2～5 分钟，由于即将到来的课间休息活动会在大脑里诱发一个前驱性的兴奋，这种兴奋会使儿童在大脑工作能力疲劳之余有所提高，即出现终末激发。因此，在小学生的课堂教学中，应将一节课的前 5 分钟用于组织课堂、复习上次已学内容，将教学内容的重点和难点安排在第 5～20 分钟，将 20～35 分钟交给儿童巩固练习、教师个别辅导与巡视，最后几分钟用来总结、复习及布置作业。

（2）一周中的变化规律：在儿童每周的学习中，星期一作为新的一周的开始，儿童的学习能力还处在启动状态，因此课堂听课效率并不高；从星期二开始，儿童大脑的工作能力迅速提高，且能维持到星期三、星期四，然后开始逐渐下降。到了星期五，大脑工作能力开始下降，并下跌至最低点，但有的儿童也可能会出现终末激发（大脑工作能力在疲劳之余有所提高的现象）。因此，在教学内容的安排中，星期一的课程不宜安排过重，周一下午放学时应布置本周中相对较少量的作业，让小学生逐渐调整学习状态，从而适应新的一周的学习生活。周二至周四安排的课程任务可以较多，但也需要组织一些课外兴趣小组活动和体育活动，以调节儿童大脑的工作方式。星期五可安排较少的教学任务，但下午必须布置本周最大量的作业，让儿童在周末有充分的时间休息和参加其他活动的同时并未忘记学习，避免星期一上课时很难进入学习状态。

资料来源：陈威．小学儿童心理学[M]. 北京：中国人民大学出版社，2016：59.

（五）镶嵌式活动

大脑皮层的不同部位执行着不同的任务，在进行某一项活动时，相应大脑皮层的功能区便处于兴奋状态，与此无关的其他区域则处于休息状态；在皮层兴奋区域中有些神经元较为活跃，另一些处于相对抑制状态。因此，大脑皮质经常呈现兴奋区与抑制区、工作区与休息区互相镶嵌的活动方式。由于脑的功能定位不同，随着活动性质的改变，兴奋区和抑制区、工作区和休息区便不断转换，新的镶嵌式不断形成，这样也使皮质各个区域得到轮流休息。

据此，不同性质的课程轮换，脑力与体力活动的交替进行，就可以使大脑皮层较长时间地保持工作能力，这也是减少疲劳、提高学习效率的有效措施之一。根据小学儿童大脑的镶嵌式活动特点，在编排课表时不宜连续安排两节或两节以上性质相同的课程，因为除了教师的形象、语言、动作所形成的单一刺激外，教学内容相同，容易引起学生大脑皮层的抑制，使学习效率降低。而不同性质课程的转换对提高学习效率有着良好的作用。课间休息有利于学生消除疲劳，恢复学习能力，保证学生在下一节课中取得较高的学习效率。另外，要注意脑力劳动和体力劳动的交换。

思考与练习：

1. 简述影响小学生身体发育的因素。
2. 情绪状态对小学生身体发育有何影响？
3. 如何根据“始动调节”的规律组织教学？
4. 怎样防止小学生在课堂上的“过度疲劳”现象？

第三章　小学儿童的认知发展

学习目标：

1. 掌握皮亚杰认知发展阶段理论。
2. 掌握最近发展区的含义及教育意义。
3. 了解小学儿童感、知觉的发展特点。
4. 掌握培养小学儿童观察力的方法。
5. 掌握培养小学儿童注意、记忆的方法。
6. 了解小学儿童思维发展特点及培养方法。

内容概要：

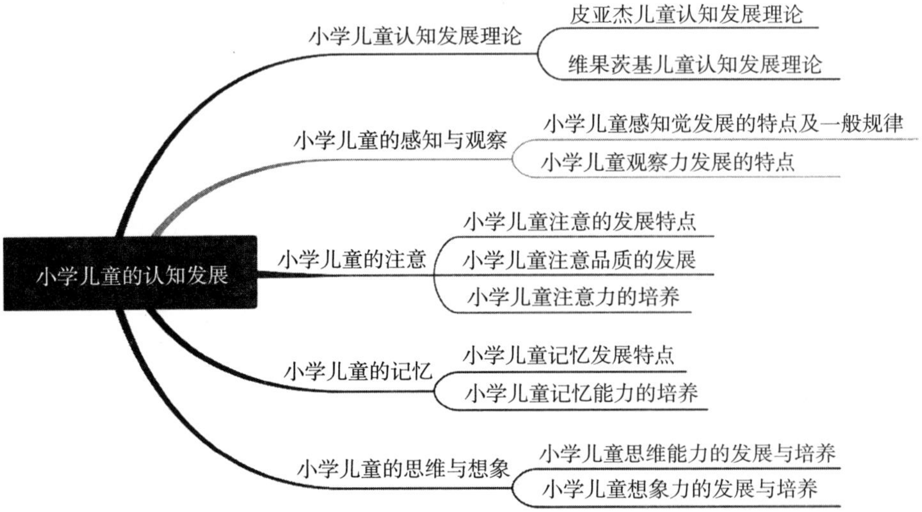

案例导读：

案例一：

问："小红，你有哥哥吗？"

答："有啊！"

问："你哥哥叫什么？"

答："小明。"

问："那小明有妹妹吗？"

答："没有！"

思考：你知道小红为什么会这样回答问题吗？

案例二：

研究者将同样多的柠檬汁分别倒进两个相同的杯子中，要求儿童判断哪个杯子中的柠檬汁更多，5 岁和 7 岁的儿童都认为两个杯子中的柠檬汁一样多。然后，研究者当着儿童的面，将其中一个杯子中的柠檬汁倒入一个又高又细的杯子中，要求他们再次进行判断。5 岁的儿童虽然知道高杯子中的柠檬汁还是原来的柠檬汁，但却坚持认为这个杯子中的柠檬汁变多了；7 岁的儿童则认为两个杯子中的柠檬汁一样多。

思考：你知道这是为什么吗？

认知心理学家发现，儿童的感知、思维方式与成年人大不相同，教师只有了解儿童是如何学习知识的，才能教好儿童获得知识，否则，必将事倍功半，甚至徒劳无功。本章在介绍儿童认知发展重要理论的基础上，重点讲述小学儿童注意、感知与观察、记忆、思维和想象的发展特点及培养策略，从而帮助小学教师以遵循儿童认知发展的规律为前提，有效展开教育教学活动。

第一节　小学儿童认知发展理论

皮亚杰的认知发展理论和维果茨基的最近发展区理论是关于儿童认知发展较为重要的两种理论。虽然这两种理论的观点不尽相同，但对于我们了解儿童的认知发展和开展教育实践活动的意义却同样重大。这两种理论都在努力探索各个年龄阶段儿童的认知能力究竟能够达到何种发展水平，并都在研究儿童当前的认知能力是如何在前一个阶段的基础上发展起来的。

一、皮亚杰儿童认知发展理论

（一）儿童认知的产生和发展

皮亚杰认为儿童的认知既不是起源于先天的成熟，也不是起源于后天的经验，而是起源于主体的动作。这种动作的本质是儿童对环境的适应，这是推动儿童认知发展的真正原因。

皮亚杰认为，儿童认知的发展是个体与环境不断相互作用的过程，在认知发展过程中儿童内部的心理结构是不断变化的。为了说明这一变化过程，皮亚杰引出了图式的概念。所谓图式，是指有组织的思考或行为的模式，个体原始的图式多属于感觉动作式的，即凭借其与生俱来的一些感觉与动作对外界刺激做出反应并获得对周围世界的认知，如婴儿凭口唇的感觉而有吸吮图式，凭手的触觉而有抓握图式。年龄大一些之后，图式将因经验的增多而逐渐复杂，成为个体的行为模式。皮亚杰将图式视为人类吸收知识的基本架构，因而将认知发展解释为个体的图式随年龄的增长而发生改变的过程①。

皮亚杰认为图式的变化是通过同化和顺应两个过程完成的。同化是指个体将外界信息纳入已有的认知结构的过程，是认知结构不断丰富的过程，也是既有知识的类推运用。顺应就是在既有图式不能直接同化新知识时，个体为了适应环境的要求，主动修改既有图式，从而达到认知目的的心理过程。通过同化与顺应两种互补的过程，儿童在与周围环境不断互动的过程中增加知识，且其智力也随着经验的扩大而增长。

（二）影响儿童认知发展的因素

皮亚杰认为，影响儿童认知发展的主要因素是：成熟、物理环境、社会环境以及具有自我调节作用的平衡过程。

1. 成熟

成熟指有机体的成长，特别是神经系统的发育和内分泌系统的发展。成熟是认知发展的重要条件，它为个体形成新的行为模式和思维方式提供了一种可能性。例如，婴儿的视、动协调能力的发展便是神经系统成熟的结果。虽然神经系统和内分泌系统的成熟对心理发展有着不可低估的影响，但它只是心理发展的必要条件，并不是充分条件。在皮亚杰看来，儿童智力发展除了依赖于先天的遗传因素和生理基础以外，更重要的是来自后天的活动和环境的影响。

---

① 林崇德．发展心理学[M]．北京：人民教育出版社，2018：49-50.

2. 物理环境

皮亚杰认为认识来源于个体与环境的交互作用，因此，个体只有对物体做出动作才能获得认识。个体在这种动作练习中得到的经验包括两类：一类是物理的经验，是指个体作用于物体，获得对物体的重量、形状等特性的认识；二类是逻辑数学经验，即主体作用于客体的活动中，获得的有关这些活动本身特征的知识。例如，在儿童认识数与排列的关系时，3 岁的儿童会认为分散排列的棋子多，6 岁的儿童却懂得棋子的数量多少与其排列形式无关。

3. 社会环境

社会环境指个体心理发展的社会因素，包括社会生活、文化教育、语言信息等。皮亚杰认为，社会环境对人的心理发展的影响，是以个体的认识结构为前提，通过社会互动作用而实现的。

4. 平衡过程

平衡过程是心理发展中的最重要因素，也是决定性因素。平衡化是指心理的成长向着更加复杂和更加稳定的组织水平前进的过程，它调节个体与环境之间的交互作用，从而引起认知图式的一种新建构。

（三）儿童认知发展的阶段

皮亚杰认为儿童的思维或心智活动不同于成人，儿童随着年龄增长而获得的智力发展并非表现在知识量的增加方面，而是在思维方式上产生了质的改变。不同年龄的儿童，会采用不同的视角看待事物、不同的思维方式解决问题。

皮亚杰将儿童的认知发展分为感知运动、前运算、具体运算和形式运算四个阶段。皮亚杰认为，认知发展四个阶段的顺序是不可改变的，每个儿童的认知发展都要依次经历这四个发展阶段，且不能跳过其中的任何一个。但是，由于环境、文化、教育等因素的差异，这些阶段的出现既可能提前，又可能延迟。

1. 感知运动阶段（0～2 岁）

按照皮亚杰的理论，感知运动阶段的儿童在认知发展上有两大变化，即主体与客体的分化和因果关系的形成。在婴儿早期阶段，儿童分不清主体与客体，客体对他们来说只是忽隐忽现的、不稳定的知觉图像，他们也不了解客体可以独立于自我而客观地存在，此时儿童认为自己看得见的东西才是真实存在的。但是，随着儿童知识经验的增加，他们开始意识到从眼前消失的客体并未真正消失，这就是皮亚杰所称的儿童建立了“客体永久性”概念，标志着儿童已经能够把主、客体区别开来，并由以自我为中心转变为把自己看成是无数客体中的一个。

2. 前运算阶段（2～7岁）

前运算阶段的儿童在思维发展方面有一个重大的进步，即儿童可以在事物不在面前的时候进行思考。这是因为他们开始具有利用表象进行思维的能力。但是，他们的思维仍然是直觉性的，缺乏逻辑，而且表现出明显的自我中心特征。具体来说，这一阶段儿童思维活动的特点是：①相对具体性，即他们能够借助表象进行思维活动，但是还不能进行抽象思维；②不可逆性，在该年龄阶段儿童的认知世界里关系是单向的、不可逆的；③自我中心性，儿童只能站在自己的角度看问题，不能从对方的立场或观点来考虑问题。

3. 具体运算阶段（7～12岁）

小学儿童正处于具体运算阶段，这个时期儿童思维的主要特征是，对于具体的事物或情境能够按照逻辑法则进行推理。具体来说，有以下几个特点：

（1）思维具有可逆性，能够完成守恒任务。思维的可逆性主要表现在儿童在思考问题时，既可以从正面思考，也可以从反面思考；既可以从原因看结果，也可以从结果去分析原因。守恒则是指对物体某一特征的认知不因其他无关特征的改变而产生变化，例如，本阶段儿童不会觉得橡皮泥的形状变化会影响到其体积和重量，而在这之前的儿童不能正确解决这方面的问题。

（2）掌握了类包含的概念。此阶段的儿童掌握了一类物体与其子类的关系。例如，给学前儿童呈现一束有四朵红花和两朵白花的花束，问儿童红花多还是白花多，儿童一般都能正确回答红花多。但是当问红花多还是白花多时，学前儿童就不能正确回答。因此，处于具体运算阶段的儿童，由于具备了类包含的能力，因而大多能正确回答此类问题。

（3）能够完成序列化的问题。这是指能以物体的某种属性为标准对其进行排序，并且进行比较。例如，小学儿童可以按高矮、大小、长短等标准对物体进行排序，对于“小红比小明高，小明比小兰高，三人之中谁最高?”这样的问题小学儿童已经可以解答。但值得注意的是，这种传递推理能力仅限于具体的事物，他们还无法应对抽象的问题。

（4）思维的去自我中心性。在“三山实验”中，处于前运算阶段的儿童之所以不能很好地回答问题，是因为他们的自我中心倾向使得他们不能将自己的观点与他人的观点区分开来，例如，两个男孩要给妈妈选生日礼物，3岁半的小男孩选了一辆玩具车送给妈妈，这并不表明他自私，只是说明他还不明白妈妈的兴趣可能与他的不同。7岁的男孩会给妈妈选一件首饰，说明他已经能站在他人的角度考虑问题了。

阅读专栏 3-1：三山实验

心理学家皮亚杰做过一个著名的实验——“三山实验”：给儿童呈现三座高低、大小和颜色不同的假山模型。首先让儿童从前后、左右不同方位观察这座模型，然后让儿童观看四张从前后、左右四个方位所摄的假山的照片，并让儿童指出和自己站在不同方位的另外一人所看到的假山与哪张照片一样。前运算阶段的儿童认为别人在另一个角度看到的假山和自己所站的角度看到的假山是一样的。

(5) 掌握了群集的概念。小学儿童已经能够明白两个子集可以组成一个新的集合，如“男生人数＋女生人数＝学生总数”。他们也可以逆推，如“男生人数＝学生总数－女生人数”。这个阶段的儿童虽然初步掌握了运算思维，但是他们的思维活动还不能没有具体事物的支持。他们学习抽象知识的时候也常常需要形象的教学方式，否则学习也会发生困难。可见，这个阶段的儿童处于从以具体形象思维为主向以抽象逻辑思维为主的转型期。

4. 形式运算阶段（12 岁以上）

形式运算就是命题运算。这时儿童的思维能力已经能够进行抽象的形式逻辑推理，能够设定和检验假设，能够反思和监控自己的思维活动。在该阶段，虽然抽象逻辑思维占有越来越重要的地位，但是思维中的具体形象成分仍然起着重要的作用。研究发现，抽象逻辑思维的发展是存在关键期的，初中二年级是中学阶段思维发展的关键期，到高中二年级，思维趋向成熟。

(四) 皮亚杰认知发展理论对小学教育的启示

皮亚杰的认知发展理论对教育实践活动有重要影响，该理论强调适应儿童认知发展的教育观点，即教学环境、课程设置、教学方式等方面都应与学生的认知能力相适应。具体而言，该理论对小学教育教学活动有以下启示：

1. 教育不仅应该关注儿童思维的结果，还应关注儿童思维的过程

皮亚杰认为知识的获得是儿童主动探索和操纵环境的结果，学习是儿童进行发明与发现的过程。他认为教育的真正目的并非增加儿童的知识，而是通过营造合适的环境，让儿童自行探索、主动学习知识。这意味着我们在教育中要注意发挥学生的主体性，不能机械地将知识灌输给儿童，要设法向儿童呈现一些能够引起他们兴趣的、具有挑战性的学习任务，并允许儿童依靠自己的力量解决问题。

2. 不强调对儿童进行成人化的思维训练

皮亚杰认为认知发展是呈阶段性的，不同年龄阶段的儿童认知发展表现出不同的特点。因此小学教师要了解小学儿童认识世界和解释事物的方式，并根据其心理发展特点开展教学。

3. 承认发展进程的个体差异

皮亚杰对认知发展阶段的划分是以个体认知成熟程度而非年龄为标准的，个体认知发展的速率是不同的，有快有慢，年龄相同的儿童并不一定有相同的认知水平。因此，在教学中要注意个别差异，做到因材施教。

4. 重视同伴交往在学习活动中的重要作用

皮亚杰认为，社会交往对促进儿童认知发展起着重要的作用。他认为与同伴一起学习、相互讨论，使儿童有机会了解别人的想法，特别是与自己不同的想法，会激发儿童进行思考。因为同伴间地位平等，儿童不会简单地接受对方的想法，而会试图通过比较、权衡，自己得出结论，这对儿童去自我中心思维具有重要意义。因此，在教学中教师应注意引导学生去发现知识而不是给予答案，同时应多采取小组讨论、合作学习的形式。

二、维果茨基儿童认知发展理论

（一）心理发展的实质

维果茨基探讨了“发展”的实质，提出文化-历史发展观。他认为发展是指心理的发展。这里必须区分两种心理机能：一种是生物进化结果的低级心理机能；另一种是以精神生产工具为中介而形成的高级心理机能。因此，所谓心理的发展就是指一个人的心理在环境与教育影响下，低级心理机能逐渐向高级心理机能转化的过程[①]。

（二）语言在认知发展中的功能

维果茨基认为语言对认知发展具有两大功能：一是在文化传承中，成人将生活经验和运用思维解决问题的方法，通过语言传递给儿童；二是儿童以语言为工具，用于适应环境和解决问题，从而促进认知发展。

在语言与认知发展关系的问题上，维果茨基与皮亚杰的观点有着明显的不同。皮亚杰把处于前运算阶段的儿童在解决问题时对自己说话的现象称为“自我中心言语”，认为它反映了儿童正在进行的思维活动，与其认知发展并无必然的联系。维果茨基认为，儿童的自我中心言语是调节其思想与行动从而促进其认知发展的重要因素。他发现儿童在试图解决问题或完成有目的的活动时，特别是在遭遇困难时，其自言自语的反应就会增加，这种现象说明，儿童是在通过自我中心言语帮助自己思考，以求解决问题。因此，维果茨基认为儿童的自我中心言语并非完全是“自我中心”的，而是具有“自己对自己沟通”“与

---

① 付建中，董存梅，姚春．儿童心理学[M]．北京：北京师范大学出版社，2016：68.

自己说话”的意义。这种“自我对话”可以帮助儿童做出计划、选择策略和调节行为，从而使他们能够更好地完成任务。因此，语言在认知发展中具有十分重要的功能，它使儿童逐渐成为有能力的问题解决者。维果茨基还指出，这种“自我对话”会随着年龄的增长逐渐减少，并最终消失而成为一种内部言语，通过内部言语来调节自己的行为。

（三）教学与发展的关系

维果茨基指出了教学与发展的关系，特别是教学与智力发展的关系。维果茨基的教学概念有广义和狭义之分。广义的教学，是指人通过活动和交往掌握精神生产的手段，它带有自发的性质；狭义的教学是有目的、有计划进行的实践形式，它“创造着”学生的发展。

在教学与发展的关系上，维果茨基的主要观点涉及三个重要的方面：一是“最近发展区”；二是教学应走在发展的前面；三是关于学习的最佳时期。

1. 最近发展区

维果茨基认为，儿童有两种发展水平：一是现有水平，即已经达成的某种心理机能的发展水平；二是可能达到的发展水平，即在有指导的情况下借助别人的帮助所能达到的解决问题的水平，也是通过教学所获得的潜力。这两种水平之间的差异，就是最近发展区。教学创造着最近发展区，第一个发展水平与第二个发展水平之间的动力状态是由教学决定的[①]。

2. 教学应走在发展的前面

维果茨基认为教学为儿童的发展提供了可能性，教与学之间的相互作用促进了儿童的发展。因此，他提出“教学应走在发展的前面”的观点，主张教学内容应该略高于儿童现有的水平，只有这样，教学才能够促进学生发展。

3. 关于学习的最佳时期

维果茨基认为儿童在学习任何内容时，都有一个最佳年龄，如果脱离了最佳年龄，从发展的观点看是不利的。因此，教学活动的开展必须以儿童的成熟和发育为前提，在相应的关键期内进行。

阅读专栏 3－2：维果茨基的认知发展理论在教学中的应用

（1）鼓励学生边解题边向自己解说，即鼓励学生放声思考。

（2）提供确保学生能够顺利思考的有效工具，例如研究工具、记录工具、制表软件、统计软件等，并示范工具的使用方法，使困难的任务变得不那么复杂。

---

① 桑标．儿童发展心理学[M]．北京：高等教育出版社，2009：53．

(3) 给学生一些需要他人协助才能完成的作业。

(4) 提供足够的支援或"支架",例如提供易于学生模仿的方式,示范正确的流程,给予学生完成任务的明确建议和提示,协助学生根据目标构思计划等,使学生能够成功地完成具有挑战性的任务。当学生越来越熟练时,逐渐减少给他们的协助。

(5) 利用小组和对话进行学习,以完成复杂的、多层面的任务。

(四) 维果茨基认知发展理论对小学教育的启示

1. 教学应着眼于儿童的潜能发展

维果茨基提出的最近发展区的概念对于教育具有重要的启示,即教学应着眼于儿童潜能的发展,教学的最佳效果产生在最近发展区。维果茨基所指的最近发展区理念要求将学生置于"接近全知而又不能全知"的境地,在教师的辅助下进行新知识的学习。所以,教师不应只给儿童提供一些他们能独立解决的作业,而应布置一些有一定难度、在得到他人的适当帮助才能解决的任务。通过这样的方式,教学不但提高了学生已有的能力,而且推进了学生的发展。因此,教学应着眼于儿童的潜能发展,教学的最理想效果,也只有在最近发展区才会产生。

2. 在教学活动中应实行"辅助"学习

根据维果茨基的文化-历史发展理论,在儿童的社会文化交往活动中,教师及其他成人的指导对儿童认知发展水平的提高起着促进作用。维果茨基强调最近发展区的本意,就是要把辅助学生学习视为领先发展的必要条件。因此,在教学过程中教师应实行"有指导的辅助学习"。例如,在课堂学习活动中,教师应首先为学生提供学习的"支架",即为学生的学习和问题解决提供线索、暗示、鼓励等,然后逐渐让学生亲自动手实践。另外,教师可以借助适合学生当前水平的学习材料进行辅助教学,对复杂的问题实行"小步子"教学,引导学生循序渐进地学习。同时要注意虽然教师和同伴对儿童的认知发展提供了一种"支架"的作用,但提供的帮助要恰如其分,过多的帮助会使儿童产生依赖心理。

阅读专栏3-3:支架式教学

支架式教学(Scaffolding Instruction)既是一种教学思想,同时也是一种教学模式。支架式教学是以学生为主体,以学生自身的知识水平为基础,以培养学生的知识技能和创新能力为目标,使学生的潜能得到进一步释放和发挥的教学模式。在这种教学模式下,教师需建立一种合作、沟通、讨论、竞争的课堂教学文化，让学生在这种课堂文化的影响下最大程度地发挥自己的主动性、积极性和创造性，最终使自身的综合素质得到提高。

支架式教学模式主要包括五个环节：①搭“脚手架”。围绕当前学习主题，按最近发展区的要求建立概念框架。②进入情境。将学生引入一定的问题情境。③独立探索。探索过程中教师要适时提示，帮助学生沿概念框架逐步攀升。起初的引导、帮助可以多一些，之后应更多地放手让学生自己探索，最后要争取做到无须教师引导，学生自己能在概念框架中继续攀升。④协作学习。要求学生进行小组协商、讨论，使原来多种相互矛盾的意见逐渐变得明朗、一致起来，使学生在共享集体思维成果的基础上达到对当前所学概念比较全面、正确的理解，即最终完成对所学知识的意义建构。⑤效果评价——对学习效果的评价包括学生个人的自我评价和学习小组对个人的学习评价，评价内容包括：自主学习能力、对小组协作学习所作出的贡献及是否完成对所学知识的意义建构。

资料来源：[美] 伍尔福克著，何先友等译．教育心理学[M]. 中国轻工业出版社，2014.

第二节　小学儿童的感知与观察

感知觉是人们认识世界的开端，是思维活动的基础。观察则是有目的、有计划的感知过程，是一种思维参与其中的感知活动。研究发现，小学儿童的感知和观察能力有了长足的发展。

一、小学儿童感知觉发展的特点及一般规律

（一）小学儿童感知觉的发展

感知觉是人脑对直接作用于感官的客观事物的个别属性的反映。通过感知觉，人们既能认识外界事物的颜色、亮度、气味、软硬等属性，也能认识自己机体的状态，如饥、渴等，从而有效地进行自我调节。借助感知觉获得的信息，人们可以进行更复杂的知觉、记忆等活动，从而更好地反映客观世界。

1. 小学儿童视觉的发展

视觉是人类最重要的感觉，在人类的认识活动中占有极其重要的地位，有研究表明，人们所获信息量的80%左右来源于视觉。小学儿童的视觉是随着年龄的增长和学习活动的不断深入而逐渐提高的。

(1) 视敏度的发展。视敏度俗称视力，是指在一定距离内感知和辨别细小物体的能力。对儿童视敏度的研究证明，童年期绝对感受性的增长比幼儿期缓慢，而差别感受性的增长比幼儿期显著。研究证明，10 岁前儿童的视敏度不断提高，视觉调节能力的范围最大，远近物体看得都较清楚；10 岁以后，随着年龄的增长，视觉调节能力逐渐降低。

有人曾对 500 多名中小学生做过调查，发现执笔姿势不正确的占总人数 65%，这不仅直接影响学生视力，还会影响学生的骨骼、形体的健康发育。为此，教师应特别注意指导小学儿童正确用眼。

(2) 颜色视觉的发展。小学一年级儿童已能正确辨认、匹配各种颜色，对于经常见到的颜色也能叫出名称。另外，小学儿童已具有对颜色的偏好倾向。在常用的几种颜色中，偏爱红色、绿色、黄色的儿童较多，偏爱灰色、棕色、黑色的儿童较少。儿童在 6 岁以前对于颜色偏好的性别差异并不明显。6 岁以后，男孩较喜爱黄色、蓝色，其次喜欢绿色、红色；女孩则较喜爱红色、黄色，其次喜欢橙色、白色和蓝色。

教师要充分利用美术课以及其他教学活动，让学生感知多种色彩，教会儿童正确命名和使用各种颜色，引导儿童关心和注意周围五颜六色的世界，提高儿童对色彩的辨别能力。

2. 小学儿童听觉的发展

人的听觉感受性随着年龄的增长而发生有规律的变化，虽然不同个体之间存在个别差异，但年龄特点是非常明显的。研究表明，小学儿童的听觉感受性是随着年龄的增长而不断提高的。小学生在学习语文的过程中，必须正确分辨各种语音，如 zh 和 z、ch 和 c、sh 和 s、d 和 t、n 和 l，以及汉语中的四个声调和语音相近的字等。另外，在音乐学习过程中，更需要精确地分辨各种音调、音强、音色等，这些都会促进儿童听觉的发展。在教学的影响下，小学生的言语听觉水平比幼儿要高得多，已经逐步接近成人的水平。小学儿童的听觉发展主要包括两个方面：纯音听觉和语音听觉。

(1) 纯音听觉。小学儿童听觉的敏感度逐渐提高。有人把 6 岁入学儿童的听觉能力作为标准单位 1，经过训练后，发现 7 岁就可发展到 1.4，8 岁达 1.6，9 岁达 2.6，10 岁可达 3.9。当然，儿童在整个小学阶段的听觉敏感度都低于成人。

(2) 语音听觉。小学儿童入学后，在语音教学特别是汉语拼音教学的影响下，语音听觉的发展非常迅速。到了一年级末，辨别汉语四声和相近字音的能力可达到成人的水平。刘兆吉等人的研究表明，儿童对语音的感知能力受方言的影响，并且农村儿童略低于城市儿童。

听觉能力的发展会受到听觉感受器、听觉中枢、言语运动中枢等物质基础的影响，但也可以通过训练得到提高。小学教师要重视对学生听觉器官的训练，可通过组织语文阅读、课外朗读、歌咏队活动、外语听力练习等，提高小学儿童的听觉能力。

阅读专栏 3-4：小学生听觉训练与保护

听觉也是可以通过训练发展的。那些学过乐器、经过训练的学生，其听觉敏感度会比普通学生高。因此，小学教师可以利用音乐课的机会多放一些轻松柔和、旋律优美的音乐让学生欣赏。这样既能提高小学儿童的音乐修养，同时又能培养他们的听觉敏感度。另外，还可以通过组织语文阅读、课外朗读、外语听力练习等活动提高小学儿童的听觉能力。

听觉能力的生理基础是听觉器官，听觉器官得不到休息就会导致听力下降，甚至还会导致听力丧失。应该怎样保护听觉器官呢？比如，尽量轻声说话，不大声喧哗；音响音量不宜开得过大；不要让水和异物进入耳内；不要长时间地使用耳机等。

资料来源：付建中，董存梅等．儿童心理学[M]．北京：北京师范大学出版社，2016：40.

（二）小学儿童知觉的发展

知觉是对事物各方面感觉特性的整体的、综合的反映。通过知觉，个体对事物将有比较全面的了解和认识。知觉虽以感觉为基础，但不是后者的简单相加，它包含了觉察、分辨和确认等一系列过程。

1. 空间知觉的发展

空间知觉是人脑对物体的大小、形状、方位、距离等空间特性的反映。总体而言，小学儿童的空间知觉能力随年龄的增长而增强。

（1）大小知觉。小学儿童不仅能熟练地用目测对空间面积大小进行直觉判断，而且还能够逐渐运用推理进行判断。

（2）形状知觉。小学儿童对几何图形的认识，已经由对具体直观图形的认识过渡到对一类图形共同特征的掌握。但由于认识水平的局限，小学儿童识别几何图形时仍表现出一些不足。如，不能正确识别和说明图形的本质属性；由于缺乏对透视原理的了解，知觉立体几何图形要比知觉平面图形困难。另外，虽然小学儿童对汉字字形结构的识别能力不高，但能较好地识别出现频率高、笔画少的字。

（3）方位知觉。小学初入学儿童一般能很好地辨认前后、上下和远近，但是对左右方位的辨认还不完善。例如，对“向左转”“向右转”的口令反应不够灵敏和准确，对字形的感知往往只注意形状而不注意方位，如把

"3"写成"Ɛ"，把"8"写成"∞"，不能很好地分辨"b"和"d"等。这说明小学阶段的儿童在空间概念的辨认上，需要经历从直观水平向抽象水平的过渡过程。

2. 时间知觉的发展

时间知觉是对客观现象的顺序性和延续性的反映。正确认识时间的长度、单位、顺序需要一定的生活经验、认识能力和言语水平。小学儿童最先掌握的时间单位是与他们的生活和学习密切相关的，如"一节课""日""周"。中、高年级的小学儿童能够理解与日常生活相对较远的时间概念，如能够掌握"月"的实际意义，进而认识日与月的关系。但是受思维发展水平的限制，小学儿童很难理解与他们日常生活距离甚远且抽象的概念如"纪元""世纪""光年"等。

3. 运动知觉的发展

小学儿童运动知觉的发展对他们完成书写、绘画、手工制作等作业和体操、表演等活动都具有重大意义。运动知觉包括大肌肉运动知觉和小肌肉运动知觉。儿童大肌肉运动知觉成熟较早，小肌肉运动知觉的发展较迟。在小学阶段，手部肌肉的力量不断增强，手部的关节有了较大的发展，但还未成熟。因此，刚入学的儿童，手指、手腕运动不够灵活、协调，如一年级儿童刚学写字时，字迹歪歪扭扭。随着手的骨骼、肌肉的发展，再经过小学阶段各种书写、绘画、手工劳动等活动的训练，小学儿童的小肌肉运动知觉已有相当发展，灵活性和协调性都有较大的提高。

二、小学儿童观察力发展的特点

观察是有目的、有计划的感知过程。它是感知觉的高级形式。观察力是在感知觉综合发展的基础上发展起来的能力，与注意力、思维能力等密切相关。

（一）小学儿童观察力的发展特点

1. 观察的精确性方面

低年级小学生观察的精确水平较低，他们观察事物不细心、不全面，常常只能说出客体的个别部分或个别属性，不能表述细节。在教师的指导下，中年级小学生观察的精确性明显提高，高年级小学生的观察能力优于中年级小学生。

2. 观察的目的性方面

低年级儿童不会自觉地给自己提出观察周围有关事物的任务，他们通常随便地看，但不会有目的地进行观察。另外，他们很容易受不相干的事物或自身情绪与兴趣的影响，使观察离开预定的目的。例如一年级儿童在观察老师的板书、挂图、实物或标本时，常常离开老师提出的观察要求，而被无关的刺激吸引。随着年级的升高，在教学活动的影响下，儿童观察的有意性和目的性逐步发展起来，中、高年级小学生已能长时间地对事物进行有意识、有目的地观察。

3. 观察的顺序性方面

低年级儿童没有经过训练，观察事物凌乱，缺乏系统，看到哪里就是哪里；中、高年级儿童观察的顺序性有较大发展，一般能从头到尾边看边说，而且在观察表述前往往能先想一想再说。

4. 观察的深刻性方面

低年级小学生对所观察的事物难以从整体上作出概括，他们往往较注意事物表面的、明显的、无意义的特征，而看不到事物之间的关系，更不善于揭露事物的有意义的本质特征。中年级小学生观察的深刻性有较大的提高。随着抽象思维的发展，高年级小学生观察的深刻性有显著发展，表现为观察力中的分辨力、判断力和系统化能力有明显的提高。

（二）小学儿童观察力的发展阶段

小学儿童观察能力的发展表现出一定的阶段性。丁祖荫的研究表明，儿童观察能力的发展可以分为下列四个阶段：一是认知个别对象阶段：儿童只看到各个对象，或各个对象之间关系的一个方面。二是认识空间联系阶段：儿童可以看到各个对象之间能够直接感知的空间联系。三是认识因果联系阶段：儿童可以认识对象之间不能直接感知到的因果联系。四是认识对象总体阶段：儿童能从意义上完整地把握对象总体。小学低年级儿童大多处于认识空间联系阶段和认识因果联系阶段，中年级儿童则处于属于认识因果联系阶段，高年级儿童能够达到认识对象总体阶段。

（三）小学儿童观察力的培养

小学儿童观察力的发展水平不是先天决定的，而是教师在教育教学活动中，有目的和有计划地培养起来的，具体而言，教师应从以下方面培养小学儿童的观察力：

1. 提出具体、明确的观察目的和任务

小学低年级儿童不善于主动提出观察的目的和任务，教师不应该只提出“好好看”“仔细看”类似的笼统要求，而是要进行细致、具体的引导，比如提出“这是什么地方、什么人、什么时候、在做什么、是怎么做的、人物面部表情如何”等问题，这样才能使学生的注意指向观察对象，进行全面、细致的观察，才能收到预期的效果。此外，对于小学高年级的儿童，教师要有计划地培养儿童主动地给自己提出观察目的和任务的能力，发展儿童观察的主动性。

学　以　致　用

我认为在教学中教师要提供给学生观察的材料，且观察的材料要准确、鲜明，要能引起学生的观察兴趣，教师需要引导学生进行观察。例如，出示一个游乐场的主题图时，就应该让学生观察图上有几个人？他们在干什么？几个人在玩过山车？几个人在玩跷跷板？告诉学生观察的顺序，通过观察还应该让学生发现问题，通过观察找到答案。

思考：你认为这样引导学生进行观察有何效果？

2. 使儿童具有相关的知识准备

观察顺利进行依赖于相关的知识储备与经验。如果儿童对所要观察的事物缺乏必要的了解，就不知从何入手进行观察，也不能引起儿童观察的兴趣，从而影响观察的效果。因此，教师组织儿童观察或参观之前，应向其介绍相关的知识，只有在初步了解的基础上进行观察才能达到深入了解的目的。

3. 指导小学儿童观察的方法，培养其观察的能力

（1）要有步骤、有计划地进行观察。观察的步骤一般是先由整体到部分，再由部分到整体。对各部分的观察也要有一定的步骤，即从上到下、从左到右或由表及里，只有这样才能做到全面、精确、细致的观察。

观察的计划是要明确为什么观察，在什么时间、什么地点、观察什么等问题。例如，一位语文教师为了让儿童写好以“春天”为题目的作文，先组织儿童“忆春天”，然后在初春时，带儿童“找春天”——冰雪开始融化，树枝和小草开始发芽，再过几周带儿童“看春天”——冰河完全融化，田野里人们开始播种，最后回来“写春天”。这样有计划地训练，可以很好地促进儿童观察能力和写作能力的提高。

（2）运用多种感官，勤于思考。在指导儿童观察的过程中，要把视觉、听觉、嗅觉和运动觉等多种感觉器官结合起来，做到观其形、辨其色、闻其声、触其体、嗅其味。通过多感官的参与，使儿童获得更为丰富、全面的信息，提高观察的敏锐性和深刻性。

（3）让儿童学会精确观察的方法。观察的精确性是观察力的重要品质之一。只有观察仔细，才能发现事物之间的细微差别以及事物之间的复杂关系。例如，在学习三角形的面积计算时，教师引导儿童观察三角形、矩形、平行四边形，并进行比较。通过观察儿童发现，任何一个平行四边形都可以看成是由两个相等的三角形构成的；任何一个矩形都可以看成是由两个相等的直角三角形构成的；任何一个三角形都可以看成是平行四边形的 1/2；任何一个直角三角形都可以看成是矩形的 1/2。通过比较得出的三角形面积公式，不仅便于理解和记忆，也促进了儿童观察力的发展。

（4）观察时要运用言语。语言具有概括性，有利于更好地对事物进行分析和概括，同时，言语活动还可以把所观察的结果保存起来，纳入已有的知识系统。

第三节 小学儿童的注意

注意是人脑对一定对象的指向和集中，是我们开展各种认识活动的必要条件。小学生的主要任务是学习，教师会向小学生提出上课专心听讲的要求，这对促进小学生注意的发展有积极作用。

一、小学儿童注意的发展特点

（一）无意注意占优势，逐步发展到有意注意占主导

在个体发展中，无意注意的发生先于有意注意。小学低年级儿童的无意注意已经较为成熟，一切能够引起成人无意注意的对象也能引起低年级小学儿童的无意注意。但是，小学低年级儿童的认识活动常依赖于无意注意，他们容易被教学的直观性、形象性和教师创设的教学环境所吸引，当然也很容易被新异或生动的刺激所影响，从而不由自主地“开小差”、做小动作等。随着年龄的增长，大脑机能的不断成熟，在教学的要求和教师的训练下，小学生需要不断有意识地调节、控制自己的行动，使得有意注意逐步发展起来。到了四、五年级，有意注意逐渐占主导地位。

（二）对具体直观事物的注意占优势

小学阶段，儿童的抽象思维正在发展，尚不成熟，因此，具体形象思维在其生活与学习中占有重要的地位。正如乌申斯基所指出，儿童一般是按照形状、颜色、声音和形象来思维的。正是因为小学阶段儿童的思维以具体形象思维为主，因此，直观的、具体的事物比较容易吸引儿童的注意，而一些比较抽象的概念或道理却不太容易吸引儿童的注意。所以，在整个小学时期内，教学的直观性、教学语言的形象生动性，都是引起儿童注意的重要条件。

（三）注意有明显的情绪色彩

小学儿童容易为一些新异刺激而兴奋，而且注意的外部表现很明显，在学

习过程中也有相应的表现，如果教师的讲述非常生动，儿童的无关动作便会停止，会产生适应性的活动，如看的时候举目凝视，视线几乎不会偏离目标，听的时候会侧耳倾听，把耳朵转向声源的方向。有经验的教师也都有这样的体会：小学儿童注意的外部表现容易显露，教师可以毫不费力地判断他们是否在注意听讲。因此，在教学活动中，尽可能利用相对丰富的教学素材，激发儿童的学习兴趣，使儿童积极地、主动地参与课堂学习。

二、小学儿童注意品质的发展

注意品质包括注意的广度、注意的稳定性、注意的分配和注意的转移四种特性。在小学阶段教育、教学的影响下，小学儿童的注意品质在不断发展。

（一）小学儿童注意广度的发展

注意的广度也称注意的范围，是指在单位时间内所注意到对象的数量。提高注意的广度对学生的学习有重要价值，它可以扩大感知的范围，提高学习效率。小学儿童的注意广度较小，但随着年龄的增长、知识经验的丰富其注意的广度不断扩大。研究表明，用速视器在1/10秒内呈现圆点图，二年级儿童能清楚地知觉到的圆点个数一般少于4个，五年级儿童能够注意到4～5个，成人则能注意到8～9个。

注意的广度与知觉对象的特点和知觉者的主观状态有关。在任务相同的情况下，对象越集中、排列越有规律，越能成为相互联系的整体，注意的范围就越大。知识经验越丰富，注意的广度就越大。比如，刚学会阅读的小学儿童其阅读的速度是缓慢的，注意的广度较小，但随着知识经验的积累，注意的范围开始逐渐扩大。

（二）小学儿童注意稳定性的发展

注意的稳定性是指对同一对象或同一活动注意所能保持的时间。在整个小学阶段，儿童的注意稳定性随年龄的增长而逐步提高，这与小学生心理活动的有意性迅速发展有关。研究表明：在一般情况下，7～10岁的小学生可以持续集中注意20分钟左右，10～12岁的小学生为25分钟左右，12岁以上小学生为30分钟左右。小学生注意的稳定性从小学二年级到五年级有快速发展的趋势。

在教学过程中，学生注意的稳定性并不是一成不变的，它往往受许多因素的影响。一般来说，单调乏味、照本宣科的教学，难以使学生集中和保持注意力；而组织严密、方法灵活、形象有趣的教学，则会延长学生集中注意的时间。此外，无意注意和有意注意两者有节奏地交替进行，有助于提高注意的稳定性。因此，教师要利用该规律，合理地进行教学环节设计，使小学生较好地保持注意的稳定，避免出现分心的现象。

教学实践表明：学生的学业成绩与学生学习时注意的稳定性呈正相关，注意的稳定性是从事学习活动所必需的。当教师发现学生上课注意力不集中时，要分析原因，采取有效措施，以促进和提高他们注意的稳定性。

阅读专栏 3－5：导致学生课堂注意力涣散的因素

学生注意力涣散可能是偶发性的，也可能是经常性的。导致课堂上学生注意力涣散的原因是多方面的，既可能是学生自身的原因，也有可能是教学中的某些因素的影响。教学上造成注意力涣散的主要原因有：

刺激过多或过少。教材内容过深或过浅、教师无意义的重复或冗长的言辞，都会使学生感到索然无味而产生厌烦，导致注意力涣散以寻求其他的刺激；教师讲课声音过高或过低，讲课速度过快或过慢，要么使学生容易疲劳、导致分心，要么由于刺激不够，不能充分占有学生的注意，因而使学生注意涣散。

情绪急剧波动。如，刚开始上课教师就分发上次的测验卷子或宣布考试的成绩，会使学生情绪特别兴奋或沮丧。课堂上这类情绪的急剧波动使学生难以把注意及时转移到教学中来，因为他们的注意还停留在分数或做错的题目上。

反抗或淡漠。如果教师处理问题不公平会导致师生关系的紧张，受不公平待遇的学生可能把不满情绪迁怒到教师讲课上，以不听课或捣乱的方式加以反抗。有的学生或因在学业上屡遭失败，或因其他原因屡受挫折，这类挫折一旦超过了该学生的容忍度就可能导致对学业的反抗或对学业的淡漠。

（三）小学儿童注意分配的发展

注意的分配能力是指在同一时间内把注意分配到两种或两种以上不同对象的能力，如学生边听讲、边记笔记。小学一年级学生明显地表现出不善于分配注意的现象，如让他们边抄写算术题、边思考解题方法，他们会感觉很困难。到中高年级以后，对书写熟练了，才能把注意同时分配到听讲、抄写或思考上。

小学儿童发生注意分配必须具备两个条件，一是其中有一种活动必须达到熟练其程度，例如，要让小学生边唱歌边打拍子，就必须熟练所唱的歌曲；二是同时进行的几种活动之间必须相互关联，如让小学生听写单词。

（四）小学儿童注意转移的发展

注意的转移是指根据新任务的需要，主动、及时地把注意从一个对象转移到另一个对象或活动上，如上完一节语文课后，主动把注意转移到下一节数学课的学习上。注意转移的快慢、难易与原来注意的紧张度和引起注意转移的新事物或新活动的性质有关，原来注意的紧张度越高，注意转移就越困难；新事物越直观、形象，学生越感兴趣，注意转移就越容易。因此，小学教师要根据小学生注意转移的特点，有针对性地组织和设计课堂教学，调动学生的学习兴趣，提高课堂教学效率。

三、小学儿童注意的培养

注意贯穿于小学生心理活动的全部过程。培养良好的注意能力，对于发展小学生的认知能力和培养小学生的个性品质是非常重要的。要培养小学生的注意能力，必须遵循注意活动本身的规律，并施加各种有效措施。

（一）正确运用无意注意的规律组织教学

小学生对外界事物的注意以无意注意为主，教师在教学中要充分利用无意注意的规律提高教学效果，并有效避免无意注意的消极影响。

1. 创设良好的教学环境，避免无关刺激的干扰

无意注意缺乏目的性，很容易被无关刺激干扰。因此，教师要为学生营造良好的学习环境。就教学环境来说，教室及其周围要保持安静；保持教室内部空气清新，光线充足；教室内的张贴要简洁，富有教育意义。就教师来说，服饰要自然大方，换了新装或新发型要在课前“亮亮相”；言谈举止要大方得体，避免过多的口头禅；呈现教具要适时，需用时及时充分地展现，不需用时则及时收起；教师要慎重处理好课堂上的争吵、打架等偶发事件，缩短不利刺激的干扰时间，防止学生注意的分散，禁止学生使用玩具化的学习用品，以免分散其注意力。

学 以 致 用

新学年开始了，一位充满工作热情、热爱教育工作的教师为了使学生更好地学习，给学生提供一个更有情趣的学习环境，对教室进行了一番精心的布置。他在教室内周围的墙上张贴了各种各样生动有趣的图画，窗台上还摆上了花草、植物，使教室充满了生机。

思考：请判断这样的布置将产生什么样的效果？为什么？

2. 有效使用多媒体教学，吸引学生的注意力

客观刺激物的强度对比及新颖性和活动性是引起无意注意的重要因素。多媒体教学能向学生提供形式多样、功能各异的感性材料，能够有效引起学生的无意注意，让其主动探索、积极进取，使其愿学和乐学。

3. 注重教学内容的组织和教学形式的多样化

个体的知识经验是影响无意注意的主要因素。学生更愿意学习与自己知识经验相关的事物。因此，教师要善于将教学内容与学生的知识经验联系起来，通过提供具体实例，引起学生的直接兴趣，维持他们的有意注意。此外，教师在上课时，要善于运用多种教学方法和手段，以激发学生饱满的情绪反应，调动起学习的积极性。

学 以 致 用

小刚是小学三年级的学生，上课的时候总是听一会儿，就东瞧瞧、西看看，桌面上有什么东西都想玩，一支铅笔、一块橡皮都能让他玩半节课，等到被老师提醒而转过神来听课时，由于没听到前面的内容而跟不上，只好又去玩手边的东西，考试成绩自然不好，家长很着急，他自己也知道上课应该认真听讲，可是又改不掉这个毛病，一上课他又神游了。

思考：你觉得教师如何在课堂上帮助小刚改掉注意力不集中的缺点？

（二）善于运用有意注意的规律组织教学

有意注意是积极主动的注意，是注意的高级形式。影响小学生有意注意的因素主要是其自身的特点，如学习的目的、学习的兴趣与动机、注意的习惯和意志品质等。因此，教师在小学教学中应注意遵循有意注意的规律去组织教学。

1. 明确学习目的，激发学习兴趣

学生的学习目的越明确、越具体，越容易引起和维持其有意注意。教师在教学中要善于激发学生的求知欲、引发认知兴趣，强烈的好奇心和旺盛的求知欲能够使学生对不了解的事物产生新奇感和兴奋感，驱使学生积极进取、主动思考。例如，语文教师在课堂上请一位同学朗读课文，其他同学就会觉得自己无事可做而分散注意。如果教师对其他同学提出明确的具体任务要求，如注意听这位同学读音是否准确、有无读错的地方，情感表达、流利程度如何等，学生就会按照教师明确具体的要求去注意听读，从而使学生对教学活动的有意注意得到有效的保持。

2. 培养学生良好的注意品质

在智力水平接近的情况下，学习效果往往与学生的注意品质和习惯紧密相关。研究发现，学习优异者注意资源的容量明显大于学业落后者，并且能更有效地运用注意资源，学习成绩优异的学生抑制分心物的能力显著高于学习落后的学生。在教学中，教师要始终如一地要求学生遵守课堂纪律，严格遵守作息制度，善始善终地把学习活动进行到底，同时，还应有意识地培养学生闹中求静的本领，主动抵制引起分心的干扰。

第四节 小学儿童的记忆

记忆是个体对经验的识记、巩固、回忆和再认。记忆在人类的生活中具有重要意义，有了记忆，人类才能有知识与经验的积累。小学阶段，儿童在学习过程中，教师经常会对他们提出记忆的要求，如要求他们记住单词、句子、数学公式等，这使得小学生的记忆在量和质两方面都有了进一步的发展。

一、小学儿童记忆发展的特点

（一）小学儿童记忆在量方面的发展

小学生的记忆在量方面的发展主要表现在记忆广度和记忆保持时间两个方面。小学生的记忆广度随着年龄的增长而不断扩大。在一项研究中，要求学前儿童和小学生同时识记 15 个单词，学前儿童平均能识记 3～5 个，小学生平均能识记 6～8 个。记忆保持时间是指从识记材料开始到能对材料回忆之间的间隔时间。研究表明，小学生记忆保持时间随着年龄的增加而延长，记忆保持时间在 8 岁、10 岁、12 岁有较大幅度的增长。小学生记忆保持时间的长短会受到很多因素的影响，例如对材料是否感兴趣、对记忆对象的感知是否清晰以及对识记材料是否能够理解等。一般而言，凡是小学生感兴趣的、易于理解的事物，他们记忆保持时间较长。

（二）小学儿童记忆在质方面的发展

小学生的记忆能力正在发生着本质的变化，主要表现为：

1. 无意识记和有意识记的发展

无意识记是指没有明确目的，且不需要付出意志努力的识记；有意识记指有预定目的，并付出意志努力的识记。学前期是儿童无意识记快速发展的时期。进入小学后，无意识记继续发展。有意识记在三年级以后，逐渐占主导地位。

2. 机械识记和意义识记的发展

机械识记是指没有理解材料或事物的意义，依据其外部联系而进行的识记。意义识记是指在理解材料或事物的基础上，依据其内在联系，运用已有的知识经验而进行的识记，即理解识记。在小学阶段，小学生的机械识记和意义识记都有不同程度的发展。研究发现，小学生意义识记的效果优于机械识记，并且两种识记都随年级的增高而发展。小学低年级学生由于抽象逻辑思维尚未发展，不善于对记忆的材料进行思维加工，因而较多地运用机械识记。随着知识经验的丰富，言语和思维的发展，小学生的意义识记日益增强，机械识记相对减少。在学习过程中，由于记忆材料或学习要求的不同，两种识记方式对小学生都是必需的。因此，小学教师既要重视学生意义识记的培养，但也不能忽视机械识记的作用。

学以致用

昨天，语文老师布置了家庭作业，要求同学们背诵第九课《飞机遇险的时候》的第二自然段。唐真真同学在家里认真地背，很快就记住了，并且背给妈妈听了一遍，然后就高高兴兴地出去玩了。今天在语文课上，老师要求他背诵一遍，他不但背诵不完整，还结结巴巴的。老师批评了他，并且责问他："为什么不好好完成家庭作业？"唐真真说："我昨天都背下来啦！"同学们叽叽喳喳地议论起来："没背出来，还撒谎呢！""背出来了怎么现在不会呢？"同学们的话让唐真真委屈极了，他趴在桌子上大哭起来。

思考：你知道案例中的小学生不能背出课文的原因吗？

3. 形象记忆和语词记忆的发展

形象记忆是以感知过的事物的形象为内容的记忆。语词记忆是对事物的关系以及事物本身的意义和性质为内容的记忆。前者与形象思维密切联系，后者与抽象思维密切联系。小学生的知识经验相对较少，具体形象思维占优势，因此，小学生常表现出记忆具体的事物或图片时最容易，具体词次之，抽象词最难记忆的特点。

（三）记忆策略的发展

随着学习任务的开展，小学生加工和保留信息的能力逐步增强，能够有效使用多种记忆策略。研究认为，在小学时期，儿童主要使用外部帮助、有意复述、组织分类和精细加工四种记忆策略。随着年龄的增长，他们能够越来越自主、有效地使用这些记忆策略。小学生在面对一项记忆任务时可能会使用不止一种记忆策略，还可能会针对不同的问题采用不同的记忆策略，灵活采用记忆策略的小学生会有更好的记忆效果。

二、小学儿童记忆能力的培养

小学儿童的记忆能力是在教育和教学影响下逐渐发展起来的。因此，在教育和教学实践中，教师应针对该阶段儿童的记忆特点，促进其记忆能力的发展。

（一）提高儿童记忆的积极性

低年级的小学儿童还不善于自觉地提出识记的目的和任务，该阶段识记的目的和任务大多由教师向儿童提出。到了高年级，教师应逐渐让儿童学会独立提出识记任务，使他们有意识地提醒自己应该记什么、为什么要记，从而使小学生的记忆过程更为主动、积极。

（二）培养学生有意识记的能力

研究表明，意义识记效果好、保持时间更持久，在教学中应提倡学生尽可能地在理解的基础上记忆。因此，在教学中，教师应首先把教学内容讲解透彻，使儿童能听懂、能理解，然后再指导儿童去熟记这些内容。这样做，不但记忆效果好，而且也有利于学生意义识记能力的发展。

（三）合理安排复习、避免遗忘的发生

首先，合理地安排复习时间。这主要表现在两个方面：一是复习要及时，根据艾宾浩斯遗忘曲线，遗忘的规律是先快后慢的，如不及时复习，将耗费更多的时间；二是分散复习比集中复习效果好。研究表明，三个小时的复习内容分成每天一小时、连续复习三天，要比一天连续复习三小时的效果好得多。

其次，阅读与试图回忆相结合。两组儿童识记同一篇课文，第一组连续读四次，第二组读两次，交替进行两次试图回忆，结果第二组的效果比第一组好。因为试图回忆不但容易发现难点，可以集中精力去识记，而且它又是积极的活动过程，需要注意高度集中，因而印象深刻，记得牢固而持久。

再次，防止材料之间的相互干扰。在连续复习几种学习材料时，先前学习的材料会干扰后面学习的材料，或者相反，后面学习的材料也会干扰对前面所学材料的回忆。因此，在复习时，不要把内容相似的材料安排在一起，以免相互干扰。

最后，复习方式多样化。这样做可避免由于单调重复而引起的厌烦情绪或疲劳现象。

第五节　小学儿童的思维与想象

思维是人脑对客观事物概括的、间接的反映。正是由于思维具有概括和间接的性质，人就可以借助思维活动认识那些不能直接作用于人的各种事物或事物的各种属性，也可以预见事物的未来发展。想象是人脑对已有的表象进行加工改造而形成新形象的过程，是思维的特殊形式。

一、小学儿童思维的发展与培养

小学阶段是个体思维发展的特殊时期，儿童的思维发展在很多方面表现出质的飞跃。认识和掌握这些规律，能够更好地理解这一阶段的儿童在学习和生活中所表现出来的一些行为特征。

（一）小学儿童思维发展的基本特点

小学儿童思维发展的基本特点是以具体形象思维为主要形式逐渐过渡到以抽象逻辑思维为主要形式，但这种逻辑思维在很大程度上仍然是与感性经验相联系的，仍然具有很大成分的具体形象性。

1. 小学儿童的思维逐步由具体形象思维向抽象逻辑思维过渡

小学低年级儿童的思维具有明显的具体形象性，思维活动在很大程度上还是与具体事物或其生动的表象联系着。随着年级的增长，他们逐步学会区分本质和非本质的东西，初步掌握概念的科学定义，学会进行逻辑论证。

小学儿童的思维在由以具体形象思维为主向以抽象逻辑思维为主的过渡过程中，存在一个转折期，这个转折期就是小学儿童思维发展的“关键年龄”。一般认为，这个关键年龄为小学四年级（10～11 岁）。我国心理学家林崇德认为转折点在何时出现，主要取决于教育的效果，只要教学得法，小学儿童思维发展的关键年龄可以提前到小学三年级。

小学儿童思维在从具体形象性向抽象逻辑性的过渡过程中，存在不平衡性。不平衡性既表现为个体发展的差异，也表现为思维对象的差异，例如，有些儿童可能在数学学习中表现出较高水平的抽象逻辑思维，但在语文学习中却表现出较低的抽象逻辑思维水平。

学　以　致　用

王老师在教学《海底世界》一课时，通过播放海底奇妙风光的视频，让学生在色与光的美妙组合下，对海底世界有整体的感知；通过演示课件，展示海面图景，启发学生理解“波涛汹涌”的含义，播放“海底听音器”，模拟海底的声音，帮助学生理解“窃窃私语”的含义；通过鼓励学生在黑板上画出自己心目中的海底世界，深化学生对海洋知识的理解。

思考：王老师为什么要这样做？目的是什么？

2. 小学儿童逐渐具备了人类思维的完整结构，但还有待进一步完善

小学儿童思维的发展显示出思维结构从不完善向完善水平的过渡，具体表现在为思维的目的性增强、表现出完整的思维过程、思维的监控能力日益增强以及有着较完善的思维材料和结果。另外，小学儿童的思维虽然主要属于初步的抽象逻辑思维，但它具备一切逻辑思维的形式，包括辩证逻辑思维的萌芽。

3. 元思维从不自觉性向自觉性发展

元思维是指儿童对自己思维活动的认识。例如，在解答数学题时，能够意识到第一步该怎么做，第二步该怎么做。元思维是思维的高级状态，它的发展同样存在一个过程。小学低年级儿童虽然已经学会了一些概念，并能够进行判断推理，但还不能自觉地调节、检查自己的思维过程，他们常常能够解决某种问题或完成某项任务，却说不出自己是如何思考、如何解决的。到了小学中、高年级，儿童才能够逐渐意识到自己的思考过程。例如，他们能够在解数学题时说出自己的解法。这种从不能意识到自己的思考过程发展到能够自觉意识的阶段，意味着小学儿童元思维的不断成熟与发展。

（二）小学儿童思维过程的发展

人类的思维活动过程表现为分析、综合、比较、抽象、概括和具体化，下面主要介绍小学儿童概括能力、比较能力和分类能力的发展。

1. 概括能力的发展

随着年级的升高，小学儿童的概括能力逐步从对事物外部特征的概括过渡到对事物本质特征的概括。研究表明，小学儿童概括水平的发展大体经历三个阶段：第一个阶段，直观形象概括水平（7～8 岁）。此时，小学儿童的概括水平和幼儿的概括水平差不多，以直观形象概括为主，他们所概括的事物属性一般为直观的、外部的属性。第二个阶段，形象—抽象概括水平（8～10 岁）。此时，小学儿童的概括水平处于从形象水平向抽象水平的过渡状态，在他们的概括中，直观的、外部的特征或属性逐渐减少，形象的、本质的特征逐渐增多。第三个阶段，初步本质抽象概括水平（10～12 岁）。此时，小学儿童的概括水平开始以本质抽象概括为主，但是，小学儿童对那些与他们的生活领域距离遥远的科学规律进行概括是非常困难的。

2. 比较能力的发展

小学儿童比较能力的发展随着年级的增长而不断提高。比较能力的发展表现为：从正确区分具体事物的异同逐步发展到区分抽象事物的异同；从区分个别部分的异同逐步发展到区分整体部分的异同；从直接感知条件下进行比较逐步发展到运用表象进行比较。

3. 分类能力的发展

我国心理学家朱智贤等人研究了小学生字词概念综合性分类能力，结果发现：①大多数低年级小学生是从事物的外部特征或功用特点来说明分类根据的，随着年龄的增长，中高年级学生能够从本质上说明分类依据。②解决同一课题，不同年级组的学生表现出不同的分类水平。三、四年级是字词概念分类能力发展的一个转折点。③同一个年级组的学生，在解决难度不同的课题时，表现出不同的分类水平，分类材料的难易程度对分类水平的影响明显[①]。

---

① 朱智贤．儿童心理学[M]．北京：人民教育出版社，2009：306-307.

(三) 小学儿童思维形式的发展

概念、判断和推理是思维的基本形式，可以通过对思维形式的研究来认识人类思维活动过程的规律性。

1. 概念的发展

概念是人脑反映客观事物本质特征的思维形式，是思维活动的基本单位。小学儿童掌握概念并不是一个主动的、一次性完成的过程，而是需要不断充实和改造。儿童在概念掌握上表现为三级水平：

第一级：用“具体实例”和“直观特征”来解释概念。具体实例是应用个别具体的实际事物对概念加以解释，直观特征则是用可以感知的事物特征来描述概念。第二级：用“重要属性”和“实际功用”来解释概念。所谓重要属性是从概念所反映的某些重要意义的属性来解释概念，实际功用是以实物的功用来阐明概念。第三级：用“种属关系”和“正确定义”来解释概念。所谓种属关系是以事物内部的逻辑关系来解释概念，正确定义是掌握概念的完善形式，反映儿童思维达到了较高水平①。

小学低年级儿童不能理解的概念较多，他们一般是应用“具体实例”“直观特征”等方式掌握概念的。相比之下，小学高年级儿童不能理解的概念较少，他们已能根据“重要属性”“实际功效”“种属关系”等来掌握概念，同时，高年级儿童中“正确定义”所占比例远远超出低年级儿童。中年级儿童则处于概念掌握的过渡阶段。尽管“具体实例”和“直观特征”在各年级都占有很显著的比例，但“正确定义”在整个小学阶段迅速发展，所占比例随年级升高而明显增加。这表明，小学儿童所掌握的概念既具有明显的具体形象性，又不断地增加了抽象概括性。

学 以 致 用

二年级时，讲除法的初步认识“平均分”这节课时，学生对“平均”这一概念不能很好地理解，我在教学时准备了一些漂亮的纸星星，从中拿来20颗星星，分成四组，比如按照8、4、5、3的顺序分，然后问孩子“这是平均分吗?”然后，一个一个地分，每组都分得5颗。然后问学生：这是平均分吗？进而告诉孩子：“这就是平均分，就是每组（或每人）分得的东西一样多。”通过学生借助直观的实物纸星星，学生理解了“平均分”这一抽象的概念。

思考：你如何看待这位老师的这种做法？对你有何启发？

---

① 林崇德．发展心理学[M]．北京：人民教育出版社，2018：306.

2. 小学儿童判断的发展

小学一年级儿童较多地依据事物的外部特征做出判断，不会从多方面寻找事情的原因，常做出片面的判断。小学二年级儿童能够对同一事实做出不同的解释，但此时，他们还不能论证自己的假设。从小学三年级开始，儿童能够比较独立地、有根据地论证一些比较复杂的判断，不仅能够运用直接论证，还能运用间接论证，不仅能提出各种可能的原因，而且能从中确定真正的原因或主要的原因。

3. 小学儿童推理的发展

林崇德的研究表明，小学儿童推理的发展具有如下特点：①小学儿童的归纳和演绎两种推理能力的发展存在年龄差异和个别差异；②随着年龄的增长，小学儿童推理的抽象程度逐渐增加，推理的步骤日益简练，推理的正确性、合理性逐步加强；③在推理能力的发展中，小学儿童掌握归纳与演绎两种形式的趋势和水平相近。

（四）小学儿童思维品质的发展

思维品质是思维发生和发展中表现出来的个性差异，主要包括深刻性、灵活性、敏捷性和独创性四个方面。

1. 小学儿童思维深刻性的发展

思维的深刻性体现在善于深入地思考问题、抓住事物的本质和规律、预见事物的发展过程。如“打破砂锅问到底，但又不钻牛角尖”。小学三年级、四年级是小学儿童思维深刻性发展的关键期。

2. 小学儿童思维灵活性的发展

思维的灵活性是指思维活动的灵活程度。小学儿童思维灵活性的发展过程比较稳步，没有突变转折，随着年级的递增，思维灵活程度的差异越来越明显。

3. 小学儿童思维敏捷性的发展

思维的敏捷性是指思维过程的速度，在处理具体问题的过程中能够迅速进行判断、做出反应、得出结论，这就是思维的敏捷性。思维的敏捷性要求快而且准确。小学儿童思维的敏捷性是不断发展的，表现为运算速度不断提高，得出正确结论的能力越来越强。

4. 小学儿童思维独创性的发展

思维的独创性是指思维活动在独立性、发散性和新颖性上的表现。小学儿童思维独创性的发展趋势表现在两个方面：①从对具体形象材料加工发展到对语词抽象材料的加工；例如，小学低年级儿童描述小动物时，多是对自己曾看到的某种小动物的描述，但小学高年级儿童可能还会加上曾在文学作品中读过的相关描述。②从先模仿到半独立性的过渡，再发展到独创性。例如，在小学儿童自编应用题的学习中，一般是从模仿书本例题开始，逐步发展为独立地编拟各类应用题。

（五）小学儿童思维的培养

培养小学儿童的思维能力是一项复杂而艰巨的任务，教师可以从以下几个方面进行培养：

1. 丰富儿童的感性知识

小学阶段儿童的思维以直观形象思维为主，即便到了高年级，他们进行判断、推理也离不开感性材料的支持。因此，帮助儿童掌握大量内容丰富、印象深刻、生动而准确的感性知识是发展儿童抽象逻辑思维必不可少的条件。在教学中，教师应注意适当运用实物、图片及各种直观教具，根据教学需要组织参观、访问、游览等活动。在活动中，教师要有意识地引导儿童全面观察、深刻分析，积累思维的材料。同时，要善于引导小学儿童进行积极的思维活动，使感性认识上升到理性认识，从而促进小学儿童思维的发展。

2. 发展儿童的言语

语言是思维的工具，儿童思维能力的发展是在言语发展过程中逐步发展起来的。因此，教师在教学中，要积极引导小学儿童掌握词汇、概念，给他们提供充分的机会表达和练习口头言语与书面言语，从而训练其思维的准确性和逻辑性。例如，要求小学儿童回答问题、复述课文、写日记、加强作文训练，这些活动可以进一步丰富其词汇，学会使其准确地表达思想感情，从而促进其思维能力的发展。

3. 培养小学儿童发现问题和解决问题的能力

思维是从问题开始的，有了问题，才会积极地思考，所以，教师要培养儿童发现问题、提出问题的能力。这就要求教师要善于进行启发式教学，激发儿童的求知欲和积极思考的愿望。教师要善于把儿童置于有趣的和能激发好奇心的情境中，引导他们进行积极的思考。例如，教师在每节课留出一段时间让儿童提问题、谈看法，鼓励儿童发表各种见解。这样既可以活跃课堂气氛，提高课堂教学效果，又可以培养小学儿童独立思考并尝试解决问题的习惯，做到在传授知识的同时，发展儿童的思维能力。

总之，在教学活动中，教师必须正确认识小学儿童思维发展的特点，如果只强调小学儿童思维发展的具体形象性，就会使教学内容过于简单，影响教学质量；如果只强调思维发展的抽象性和逻辑性，忽视思维具体形象性的支持作用，就会使小学生在学习的过程中出现畏难情绪。

二、小学儿童想象的发展与培养

小学阶段，儿童想象发展的总趋势是：从无意想象发展到有意想象；从再造想象发展到创造想象；从远离现实的想象发展到更富于现实性的想象。

（一）小学儿童想象发展的特点

儿童进入小学后，在教学要求和学习活动的影响下，想象能力有了很大的发展，主要表现在以下几个方面：

1. 小学儿童想象的有意性逐渐加强

小学儿童想象的有意性随年龄的增长而不断提高。小学低年级儿童在想象时往往容易离开想象的目的和主题，根据自身过去的经验做自由联想。到了小学高年级，他们从书本中获得的间接经验逐渐增多，表象也更为丰富，想象的有意性、目的性就迅速增长起来。

2. 小学儿童想象的创造性成分逐渐增大

小学低年级儿童的想象富于模仿性和再现性，创造加工的成分不多，儿童想象的内容常常是事物的简单重现，这是与该阶段儿童的抽象逻辑思维水平发展较低这一事实密切相联系的。在教学影响下，随着儿童言语和抽象思维的发展，想象中的创造性成分日益增多，想象也更富有逻辑性。例如，小学低年级儿童所讲的故事往往都是他们听来的，在讲述中表情、动作也都是模仿他人的；到了中、高年级，儿童能够对已有表象做出创造性加工，能够独立地进行创造性想象；高年级儿童在讲述故事时，复制和模仿的性质逐渐减少，对情节的创造性改造日益明显和增多。他们能够根据自身的知识经验，创造出全新的、别出心裁的故事内容，想象中的创造性成分日益增多。

3. 小学儿童想象的现实性逐渐提高

想象的现实性是指想象的形象受现实的制约，能够真实地反映现实。小学低年级儿童想象的内容常脱离现实，或者不能准确地反映客观现实。研究表明，随着年龄增长，儿童想象中的幻想成分日益减少，而现实性不断增加，儿童的想象越来越合乎逻辑。具体表现为：

第一，从热衷于完全脱离现实的神话虚构逐渐转向对现实生活的幻想。例如，在小学儿童对文艺作品的喜爱方面，爱听童话故事，爱看动画片，会对童话、神话信以为真。随着教学活动的发展和思维水平的提高，小学三年级以后儿童的兴趣逐步从童话故事转移到与现实生活较为接近的题材上。

第二，想象所反映的形象越来越接近现实事物。学龄前儿童的想象常常不符合现实事物，或不能确切地反映现实事物，小学低年级儿童也具有这个特点。例如，在绘画过程中，小学低年级儿童在画面中能有简单的布局和突出的细节，但不够接近事物的真实状态。小学中年级以上的儿童，在绘画过程中，不但能注意所画的事物的完整性，而且能初步运用透视关系来更好地、更真实地表现事物。

（二）小学儿童想象的培养

小学儿童的想象与其记忆、思维等心理过程一样，是在教学的影响下发展起来的。教师在教学过程中要积极培养和发展儿童的想象，这是发展儿童独立思考能力的重要条件。

1. 丰富小学儿童的表象

表象是想象的材料，发展儿童的想象，必须丰富儿童的表象。小学儿童的表象越丰富、越充实，他们的想象也就越生动、越活跃。为此，在教学过程中，教师应组织小学儿童对外界事物进行实地观察和体验，或为小学儿童提供图片、视频或其他生动形象的教学辅助材料，从而扩充其表象的数量与质量，为想象提供素材。

学　以　致　用

语文课上，张老师为了使学生写好《春天》一文，他先组织学生“忆春天”，通过回忆，让学生把头脑中关于春天的相关表象提取出来；然后在初春时带学生去“找春天”，如，看到吐露新芽的柳树、开始融化的小溪等；过了几个星期再带学生去“看春天”，如，看到田野一片新景象；回来后才让学生“写春天”。

思考：你知道这位老师为什么这样做吗？

2. 发展小学儿童的语言

小学儿童的想象活动是在语言的调节下进行的，并以语言的形式表达出来，因而发展小学儿童的语言，也是促进他们想象发展的重要条件。从想象发展的程序来说，小学儿童的想象必须从具体的、直观的水平逐步过渡到词的思维水平。只有这样才能使小学儿童想象的构思更广阔，并且有更强的概括性、深刻性和逻辑性。在教学中，教师的语言是启发小学儿童想象、促进儿童语言发展的重要因素。教师要力求用正确、清晰、生动的语言来描绘新事物，对于某些抽象的材料难以用语言描绘时，也要设法用生动的比喻来说明，这些不仅能使教材内容在小学儿童头脑中形成鲜明、生动的形象，同时也为小学儿童作出示范，促进儿童语言表达能力的提高。

3. 组织小学儿童参加创造活动

想象是一切创造活动不可缺少的心理因素，同时它又是在创造活动中发展起来的。教学是发展儿童想象的基本活动形式，此外，组织小学儿童参加音乐、美术的学习和欣赏诗歌朗诵、文艺创作竞赛，以及各种科技活动等也都是发展小学儿童想象，特别是创造想象的重要途径。

思考与练习：

1. 皮亚杰将儿童的认知发展分为哪些阶段？
2. 皮亚杰认知发展阶段理论对小学教育有何启示？
3. 什么是最近发展区？
4. 最近发展区理论对小学教育有何启示？
5. 如何培养小学儿童观察力？
6. 如何利用无意注意的规律组织课堂教学？
7. 如何培养小学儿童的记忆？
8. 小学阶段儿童的思维发展有何特点？

第四章　小学儿童言语的发展

学习目标：

1. 掌握儿童语言获得的理论。
2. 了解语言与言语的区别。
3. 掌握小学阶段儿童言语发展的特点。
4. 懂得如何培养小学生的言语能力。

内容概要：

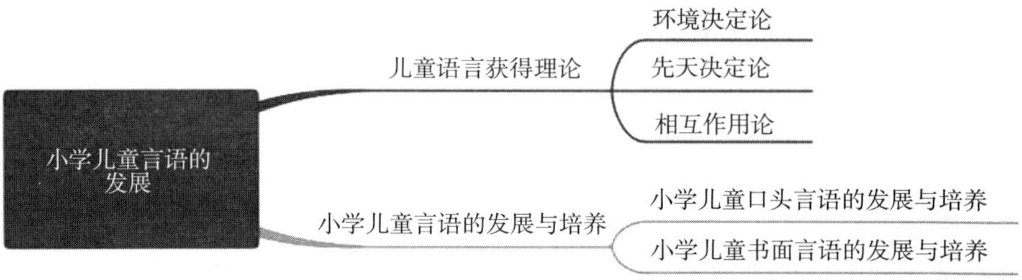

案例导读：

电影《嘲鸟难鸣》是根据美国一起悲惨的儿童遭父虐待案件改编而成的。故事的主人公叫吉妮，她从 18 个月起，就被父亲关在一间小屋里，锁在儿童便椅上，几乎不能移动，房间里既没有什么东西可以看，也没什么东西可以摸，并且也没有声音刺激。在整个成长过程中，吉妮不能与父亲和懦弱半瞎的母亲说话，如果她自己说话则会遭到父亲的毒打。直到吉妮 13 岁半时，她的母亲才鼓起勇气带着她离家出走，可此时的吉妮不仅不能直立行走，而且大小便失禁，更不善于社交，总是沉默。

人们开始尝试用各种方法帮助吉妮克服心理和生理上的困难，其中对吉妮语言能力的培养被看成是一项艰巨的挑战，心理学家们也想以此来证明儿童在青春期以后是否还能学会语言。真正着手这项工作的是一位心理语言学专业的研究生，她叫苏珊·格蒂斯（Suan Gurtiss）。在进行精心、细致的安排后，苏珊在之后的几年时间里努力教授吉妮语言技能。苏珊花费了大量的时间激发吉妮学习使用语言与他人交流的兴趣，并详细记录下这个孩子的每一点进步。在苏珊的帮助下，吉妮逐渐开始理解并说出单词，并由此在大脑中逐渐建立起了词汇的概念，在学会用单个单词表达意思后，她开始将单词组合成复杂的句子表达意思。但是，她的进步是非常缓慢的。经过4年的强化培训后，她在标准词汇测试上仅仅达到了5岁孩子的水平，并且她对双词的记忆储备只掌握了2 500个。

思考：根据这一案例，请说明环境和社会交往在儿童语言发展中的作用。

儿童进入小学后，学习成为主导活动，课堂教学与学校生活都对儿童的言语能力提出新的要求。这些要求被儿童自觉地接受后，就变成了他们发展言语的新需要。

第一节　儿童语言获得理论

语言是人类社会中客观存在的现象，是人类社会在漫长的社会生产和文化发展中，为了生活所需，对繁琐、复杂的事物创建的一种符号系统，这种符号系统以语音为载体、以词为基本单位、以语法为构建规则。一个人利用某种语言来表述自己的思想或与其他人进行交际的过程，称其为言语。

儿童用短短几年的时间就能学会用语言表达自己的思想。那么，儿童是如何获得言语能力的，这种能力是天生的还是后天获得的？心理学家关于这些问题的论述形成了不同的理论体系。

一、环境决定论

环境决定论强调环境对语言形成的决定性影响，认为语言获得是在后天环境中模仿、学习和强化的结果。其代表性观点包括模仿说和强化说。

（一）模仿说

1. 机械模仿说

机械模仿说由美国心理学家奥尔波特（F. Allport）于1924年提出，该学说认为儿童掌握语言是在后天环境中通过学习获得语言习惯，且儿童获得语言主要是通过对成人语言的模仿来实现的。在儿童对成人语言的模仿过程中，强化起着非常重要的作用，这种作用体现在两个方面。一方面，婴儿的早期模仿源于他们能够从中感受到愉快的情绪和满足自己的需求。例如婴儿对母亲语音的模仿，因为母亲发出的语音常与哺乳和爱抚动作相联系，如果婴儿能发出与母亲相类似的声音，母亲听到后就会感到愉快，也就会增加哺乳或爱抚动作持续的时间。婴儿的模仿得到了这种正强化，就会表现出更多的此类行为。另一方面，奥尔波特认为当儿童掌握一定数量的单词后，他们会开始对单词进行组合，而儿童的这种能力也依赖于父母的强化。父母常将儿童所说的单词扩展成句子，并在儿童模仿这种扩展后，给予他们正强化。奥尔波特认为，儿童最初所说出的单词，如果不与具体的实物发生联系，那么这些单词就没有任何意义。只有儿童所说的单词与具体实物建立联系后，他们所说的话才变得有意义。

奥尔波特的机械模仿说提出以后就遭到了乔姆斯基（N. Chomsky）的反对。乔姆斯基认为，儿童的语言发展不是通过被动模仿获得的，而是他们主动获得的。乔姆斯基的理由是：第一，当要求儿童模仿的某种语法结构和儿童已掌握的语法结构之间存在较大差异时，即使让儿童反复模仿，他们也无法掌握，因为儿童总是习惯于用自己已经掌握的语法结构改变要求他们模仿的句型。第二，在没有模仿对象的情况下，儿童也会产生许多新的句子，这种现象用模仿说无法解释。第三，因某些特殊原因，有一些儿童并不会说话，但是他们却能正确理解他人所说的话，这一现象也无法用模仿说来解释。

阅读专栏 4－1：儿童的语言是模仿学习的结果吗？

在儿童语言获得的过程中，儿童经常说出他们从未听到过的新句子，比如，“妈妈，我想吃年轻苞米”（他想说嫩苞米）。在产生这种句子时，儿童不是模仿，而是超越了他们所听到的句子。此外，儿童经常出现过度规则化，也就是按照某种规则使用单词，却没有认识到存在例外的情况。例如，母语为英语的儿童可能过度规则化地将“ed”作为所有单词过去式的结尾。母语为汉语的儿童也可能过度规则化地使用某些词语，而不能恰当地根据词语的适用范围加以运用，如用“年轻”来形容苞米，而不清楚“年轻”这一词语的适用对象。

资料来源：陈威．小学儿童心理学[M]. 北京：中国人民大学出版社，2016：122.

2. 选择性模仿说

一些学者认为，虽然传统的机械模仿说存在一定的不足，但是模仿对儿童语言的发展仍起着一定的作用。因此，一些学者在传统模仿说的基础上对“模仿”的含义进行了修正，其中最具代表性的是怀特赫斯特（G. J. Whitehurst）提出的“选择性模仿说”。选择性模仿说认为：儿童学习语言并不是对成人语言的机械模仿，而是选择性模仿。儿童不仅可以原原本本地模仿示范句，而且可以对示范句进行选择性模仿，并指出模仿的条件是儿童具备初步理解示范句的能力。模仿是儿童锻炼自己语言能力的一种手段，随着使用语言能力的提高，模仿的作用逐步减弱。

与传统的模仿说相比，选择性模仿说具有两个显著特点：第一，示范者的行为和模仿者的反应之间具有某种功能上的关系。因此，模仿者对示范者的行为不必一对一地模仿。第二，选择性模仿不是在强化和训练的条件下发生的，而是在正常生活情境下出现的。因此，模仿者的行为和示范者的行为在时间上不是即时的，在形式上也不是一一对应关系，这使儿童的语言发展既有一定的新颖性，又有一定的模仿基础。

自模仿说提出以来，心理语言学家对模仿的作用就存在不同的看法，但也比较一致地认为：模仿在儿童语言的发展中有一定的甚至是比较重要的作用，但模仿不是儿童学习语言的唯一手段。

阅读专栏 4-2：怀特赫斯特关于儿童语言发展的研究

怀特赫斯特及其同事的研究表明，美国中产阶级家庭的儿童在进入小学一年级以前，已经经历了 1 000～1 700 个小时一对一的图画书阅读。而来自低收入家庭的小孩，则只经历了大约 25 个小时的图画书阅读时间。如果亲子阅读真有助于语言学习，则这样一种经验差异最终将导致成长在不同家庭的儿童在语言发展上的差异。另外，来自中产阶级样本的研究表明，儿童读书的频率的确与其语言能力的发展存在正相关。怀特赫斯特及其同事不仅收集儿童阅读图画书的指标，而且收集其他各种关于儿童“文化环境”的指标（如家里的图书数量、到图书馆的频率）。结果发现，这些测量指标与儿童语言发展的个别差异存在显著相关：文化环境越优越，儿童语言能力的发展就越好。

资料来源：桑标．当代儿童发展心理学[M]. 上海：上海教育出版社，2003：213.

（二）学习—强化说

儿童语言发展的学习—强化说是由斯金纳（B. F. Skinner）提出的。斯金纳认为，儿童的语言发展是通过一系列刺激与反应间建立的联结发展而来的，其主要观点是：第一，在某一场合下，儿童言语所受到的强化，对他们言语行为的形成和发展有着决定性的影响。第二，强化是儿童学习言语的必要条件。强化刺激的出现频率和方式，对于儿童语言行为的形成和巩固具有非常重要的作用。第三，在儿童语言发展过程中，儿童主动进行的自我强化对他们的语言发展起着重要作用。第四，强化是循序渐进的。如果要求儿童学习一个复杂的句子，不是等到他们碰巧说出这个复杂句子后才给予强化，而是在他们的表达开始接近目标句子时，就给予强化。通过这种逐步接近的强化方式，可使儿童最终掌握复杂的句子。

综上所述，儿童的语言环境在他们的语言发展过程中扮演了极为重要的角色。儿童身处的语言环境越丰富，即他们周围的人所用的词语种类越多样、句法结构越复杂，他们的词汇也就增长得越快。但是，儿童并不仅仅是吸收他们所听到的，还会运用所听到的语言去建构自己对语言的理解。

二、先天决定论

先天决定论者提出儿童语言的发展主要由先天的遗传因素所决定，认为人类习得语言是生理上预先设定好的，代表人物是乔姆斯基和勒纳伯格。

（一）先天语言能力说

先天语言能力说又被称为转换生成说，是由美国心理学家乔姆斯基提出的。乔姆斯基认为儿童语言发展的决定因素不是经验和学习，而是人类大脑的机能。儿童有一种先天的语言获得装置（Language Acquisition Device，LAD），它是每一个正常儿童大脑结构的一部分，随着中枢神经系统的成熟而发展，儿童凭借该装置去分析和理解后天语言环境中的各种语言素材。语言获得装置由语言输入激活，只要这种装置的内在机制被激发，就能获得语言，生成和创造句子。

根据乔姆斯基的观点，语言获得装置包括普遍语法或者是对所有语言通用的规则知识。儿童获得语言的过程就是由普遍语法向个别语法转化的过程，具体表现为：普遍语法——语言环境——个别语法。乔姆斯基认为，普遍语法是个别语法的基础，而语言环境则是连接这两者不可缺少的因素。

乔姆斯基的观点开创了研究儿童语言获得的新时期，该理论的部分观点得到了神经科学研究成果的证实，即人脑中的确存在着语言中枢。但是，乔姆斯基将语言发展的生理基础和语言功能混为一谈，将发展的可能性和后天的现实性混为一谈，忽略了教育、环境在儿童语言发展中的重要作用。

（二）自然成熟说

自然成熟说是由勒纳伯格提出的一种儿童语言发展的理论，也属于语言发展的先天决定论。与乔姆斯基不同，勒纳伯格的语言发展理论是以生物学和神经生理学为理论基础的。勒纳伯格的主要观点如下：第一，生物的遗传因素是人类获得语言的决定因素，人类大脑具有专门的语言区域，语言是人类大脑机能成熟的产物，当大脑机能的成熟达到语言准备状态时，只要受到适当外在条件的激活，就能使潜在的语言结构状态转变成现实的语言结构，就能获得言语能力。第二，语言以大脑的基本认识功能为基础，人类大脑的基本功能是对相似的事物进行分类和抽取。语言的理解和产生在各种水平上都能归结为分类和抽取。第三，语言是大脑功能成熟的产物，其获得必然有个关键期，从 2 岁开始到 12 岁为止。错过了关键期，即使给予训练，也难以获得语言。

勒纳伯格的潜在语言结构和现实语言结构与乔姆斯基的普遍语法和个别语法颇为相似，这种理论可以解释语言获得过程中的许多现象，比如不同语言文化环境中的儿童在获得语言过程中惊人的一致性、学习速度等。但是无法解释为何生活在不同语言社会的儿童会获得不同的语言系统，能听、说不同的语言。

总的说来，先天决定论考虑到了儿童自身的遗传因素在语言获得中的作用，但忽略了环境和学习对儿童语言获得的重要影响。

三、相互作用论

先天决定论和后天强化说分别从两个极端解释了儿童语言发展，但都没有给出让人满意的答案。于是，在这两者之间出现了一种新的观点，即认为儿童语言发展是先天的能力和后天的经验相互作用的结果，这就是相互作用论。相互作用论认为，儿童语言发展受许多因素影响，这些因素相互依赖、相互补充。认知的、社会的因素会影响儿童语言的发展，同样，儿童的语言发展又反过来影响认知和社会能力的发展。

（一）认知说

瑞士心理学家皮亚杰主张从认知结构的发展来说明语言的发展，认为语言能力作为儿童认知能力的一个重要方面，是主体与客体相互作用的产物。认知说的主要观点如下：

儿童语言的发展以其认知的发展为基础，作为认知结构的一部分，语言结构随认知结构的发展而发展。由于儿童的认知水平与成人有很大差异，所以儿童的语言无论是在质还是在量的方面都有别于成人。

儿童的语言是主体与环境中的客体相互作用的结果。儿童的语言能力仅仅是大脑一般认知能力的一个方面，儿童的认知结构不是外界环境强加的，也不是人脑先天具备的，而是主体和客体相互作用的结果。因此，儿童的语言是在个体和环境相互作用的过程中逐渐发展起来的。

认知说从主客体相互作用来说明儿童语言能力的发展，强调认知发展和语言习得的关系，考虑了儿童自身的先天因素，也考虑了儿童周围环境中相关因素的影响，从而避免了语言获得的先天决定论和后天环境决定论所面临的固有问题。但皮亚杰所进行的关于儿童认知发展和语言习得之间关系的研究，都只能说明两者之间存在相关，而不能说明它们的因果关系。迄今为止，该模式中的许多观点还停留在理论假设上，并没有得到很好的验证。

（二）社会交往说

社会交往说是美国心理学家布鲁纳和贝茨等学者的观点。他们认为语言发展受到先天的、社会的多种因素的影响，其中，儿童和成人的语言交流是语言获得的决定性因素。社会交往说强调儿童所处的语言环境和交往背景对儿童语言发展的作用。其主要观点如下。

第一，语言具有一定的结构，遵循一定的规则。社会交往说赞同先天决定论和认知说中有关语言的某些观点，认为语言具有一定的结构，遵循一定的规则，语言的学习在很大程度上就是语法规则的获得，而且语言发展要以一定的生理成熟和认知发展为基础。

第二，儿童语言的获得是儿童与语言交往环境相互作用的结果。社会交往说强调环境，特别是语言交往环境在儿童语言结构获得过程中所起的作用，认为儿童的语言结构产生于语言的社会交往功能，也就是说，只有交往中发挥实际功能的语言结构才能被学习者掌握。如果儿童从小被剥夺和成人进行语言交流的机会，那么儿童就不能学会说话。

第三，儿童是积极主动的语言加工者。社会交往说把儿童及其语言环境看成是一个动态系统，认为儿童不是语言训练的被动受益者，而是有自己意图和目的的积极主动的语言加工者，他们会把一系列的先天倾向带进语言学习的环境中。

社会交往说比较全面地反映了儿童在获得语言的过程中能动地建构语言的事实。但是，不少学者认为，这是一种折中的观点，虽然易为人接受，但它还不足以说明儿童如何在交往中，在语言输入的基础上形成和发展语言。

第二节　小学儿童言语能力的发展与培养

言语能力包括“语言系统能力”和“语言运用能力”。语言系统能力包括对语音、词汇、语法等语言规则体系的掌握；语言运用能力是指在交际环境中按照语用规则得体、有效地使用语言的能力，它的发展则是艰难的、长期的，甚至是无止境的。小学儿童在入学前已经较好地获得了本民族的语言系统能力，但是语言运用能力相对较低，说话不得体的情况比较普遍。入学之后，儿童的运用能力有了很大的提高，主要表现在对自己见解的表达、会话策略的运用、会话意义的理解和对会话活动的维持等方面。

一、小学儿童口头言语的发展与培养

口头言语是以说和听为传播方式的有声语言。口头言语有两种主要形式：对话言语和独白言语。对话言语是指两个或几个人直接进行交际的语言活动，具有情境性和应变性的特点。独白言语是说话者独自进行的语言活动。

（一）小学儿童口头言语的发展特点

小学生在学前期已经掌握了一定数量的口头词汇，6 岁时，儿童已经掌握约 2 500～3 500 个口头词汇，这些词汇足以保证他们与成人的正常交往，为以后的学习、生活奠定基础。儿童进入小学后，对语言的理解力逐渐增强，能够全面地理解复杂的语言表达。在参与复述课文、课堂发言这样的独白式语言活动中，选择词汇、组织句子的能力进一步提高，于是，口头语言表达更加完整、连贯。

1. 独白言语迅速发展

小学阶段，儿童的口头言语从对话言语占主要地位向独白言语占主要地位过渡。一年级新生以对话言语占主导地位，二、三年级独白言语开始发展起来，四、五年级口头言语表达能力初步完善，说话完整，合乎一定的语法规则。

2. 对会话含义的理解逐渐加深

小学儿童语用能力的发展还表现在对他人话语言外之意的理解上。6 岁以前的儿童不能把反语、玩笑与谎言区分开，无法理解反语和玩笑的真正含义。研究发现，儿童对反语的理解能力随年龄增长而逐渐提高，并表现出较大的个体差异。

3. 对会话活动的维持能力增强

尽管小学儿童已经掌握了足够的词汇和语法知识，但仍然不能成为熟练的会话者，这主要是因为知识的缺乏和认知能力的局限造成的，这些限制使他们难以通过相关话语发展会话主题。有研究发现，问答式对话是维持话题相关的主要手段，表示同意、提问和回答的话语比例都随年龄的增长而增长。

阅读专栏 4-3：语言发展对儿童行为的控制和调节

研究者通过一个巧妙的实验揭示了语言发展对儿童行为产生的作用。在实验中，实验者告知儿童如果他们选择立刻吃掉一颗糖，他们就只能得到这一颗糖，但如果选择等一会儿再吃就能得到两颗糖。大多数 4～8 岁的儿童选择了等待，但他们等待时的策略却各不相同：4 岁儿童在等待时经常看着糖，但实际上这种策略并不是非常有效。相反，6～8 岁的儿童会使用语言来帮助自己克服诱惑，但方式各有不同。6 岁儿童会对自己说话和唱歌，提醒自己如果多等待一会儿就能得到更多的糖；8 岁儿童则关注与糖的味道无关的方面，如它们的外观，这有助于使他们等待下去。简而言之，儿童会通过“自言自语”的策略来调节自己的行为。他们的自我控制随其语言能力的提高而不断增强。

资料来源：[美] 劳拉·E. 贝克. 儿童发展[M]. 南京：江苏教育出版社，2002：325.

（二）小学儿童口头言语的培养

1. 明确口头言语训练的基本要求

在对儿童进行口头言语训练时要让其明确以下要求：一是语音要求。要求学生说话声音洪亮、正确地发音吐字、语气连贯，表达清楚。二是内容要求。训练学生明确说话中心，有的放矢地展开话题。三是结构要求。要求学生“说话”有头有尾，思路清晰严密、条理清楚。四是表情要求。要求学生说话时姿态自然、大方得体，有表情地说话。

2. 结合语文教学进行口语训练

培养和提高小学儿童的口头表达能力是小学语文教学的一项重要任务。在语文教学中，有许多可以利用的资源。第一，借助教材插图，进行口语交际训练。图画直观形象，是训练学生说话的好素材。第二，利用课文的补白内容，进行口语交际。课文中有时会出现情节跳跃、内容省略的现象，也是很好的口语交际训练内容。第三，结合朗读教学进行口语表达训练，朗读是学生口头表达的基础，教师要求学生正确、流利、有感情地朗读，让学生通过分角色读、表演朗读等形式来提高语言表达能力；第四，加强口头造句的练习，指导学生用学过的词汇进行造句练习，不仅丰富了他们的词汇，而且有助于提高他们的口语表达能力。

3. 在校园生活中提高口语表达能力

口语交际不能只局限于课堂，还应走出课堂，走进校园生活，并走向社会，使之真正地变成儿童的交往工具。为了让学生得到充分的锻炼，要求学生经常与同学、老师和家长沟通交流，让孩子在口语实践中去领会自己的语言是否得体，使用的语言是否与交谈的情境相协调，是否可以被大多数人接受，什么时候该说，什么时候不该说，对谁说，怎样说。

阅读专栏 4-4：儿童口吃

小学儿童口头言语常见缺陷——口吃，儿童口吃的患病率为 1%～2%，男女童患病率之比约为 2.5∶1，有一半的口吃起病于 5 岁前。常见的病因主要有：第一，突然的精神刺激，如受惊吓、严厉的体罚、辱骂等。第二，环境的改变，如转学、迁居、父母离异、寄养等。第三，操之过急、矫枉过正。如小孩在学讲话的时候，父母操之过急，做过多的矫正，或采取恐吓、威逼的手段逼迫儿童学话、矫正发音，使儿童紧张、慌乱、无所适从，从而导致口吃。第四，模仿。儿童对别人口吃觉得好奇，容易模仿，模仿他人口吃使自己也开始出现口吃，在临床上颇为多见。第五，躯体疾病。如儿童脑部感染、头部受伤以及患百日咳、麻疹、流感、猩红热等传染病后也易引起口吃。由于大部分口吃是心因性的，所以需要进行心理治疗。在儿童出现口吃时，对其矫治不宜过急，应训练儿童养成从容不迫的说话习惯，当儿童能顺利说话时，立即给予表扬，树立信心和言语训练是矫治儿童口吃的关键。

资料来源：朱家雄．学前儿童心理卫生与辅导［M］．长春：东北师范大学出版社，2003：61-62.

二、小学儿童书面言语的发展与培养

书面言语是指由字和义结合而成、以写和读为传播方式的语言。书面言语比口头言语出现得晚，学前儿童对书面言语的掌握刚刚开始萌芽，只形成了最简单的书面言语。真正的书面言语的掌握是儿童进入小学以后才开始的。小学初期，书面言语落后于口头言语，二年级下半学期，书面言语发展水平赶上口头言语的发展水平；四年级下学期，书面言语逐渐超过口头言语的发展水平。儿童掌握书面言语要经过识字、阅读与写作三个环节。

（一）识字

识字是儿童掌握书面言语的感知阶段，是儿童运用口头言语过渡到学习书面言语的最初环节，也是阅读和写作的基础。汉字是由音、形、义构成的统一体，儿童对汉字的学习也是由字形的学习、字音的掌握和字义的理解三部分构成，即儿童识字的过程实际上就是在头脑中建立并巩固字的音、形、义的联系过程。

1. 小学儿童字音的掌握过程

字音的掌握是儿童识字的基本要素，只有读准字音，才能辨认字形，才能理解字义。小学儿童对字音的掌握与这个字在口语中出现的频率有关，对于那些在口语中没有出现过的字词，初入学的儿童的感知和发音往往是不准确的。总的说来，小学儿童掌握字音主要存在以下困难：第一，前鼻音和后鼻音相混；第二，复韵母念错较多；第三，拼音中相近的字音易混淆，如“b”和“d”“p”和“q”。教师应根据汉字容易读错或读音相混的特点，采取有针对性的教学。

2. 小学儿童字形的学习过程

字形学习是儿童识字教学的重点和难点。初入学的儿童在识字方面面临一定的困难，其原因主要有：一是汉字字形复杂，字音与字形脱节；二是初入学的儿童知觉不够完善，其分辨能力、记忆力以及分析综合能力较弱，再加上知识经验有限，他们常常只是笼统地反映字形，常出现多一笔或少一笔的错误。

要教会小学儿童有效地认识字形，避免认错、写错、记错，做到对字形精确的感知和辨认，教师在教学时，可帮助儿童掌握“构字规律”，将相似的字进行对比，要求儿童勤查字典。此外，还应根据小学儿童思维的具体形象性等心理特点，采用挂图、模型等直观性的教学手段提高教学效果。

3. 小学儿童字义的理解过程

理解字义是儿童识字的中心环节。儿童对单字字义的理解通常是与词联系在一起的，因为通常只有将字组成词才具有了更为明确的意义。小学儿童对那些在口语或书面语中经常使用的词的理解情况较好。

有研究者对小学儿童识字问题做了系统的调查研究，得出以下结论：第一，各年龄阶段的儿童都能胜任识字教学的要求，且发展趋势良好；第二，儿童识字发展趋势不平衡，两极分化比较严重；第三，儿童识字后有回生现象。年级越低，回生率越高；第四，方言地区儿童识字受方言定式干扰严重。干扰程度与年龄成正比，年龄越大，发音受方言的干扰也就越大。根据上述研究结果，教师在教学过程中，应把握识字教学的关键，使小学儿童达到对字的音、形、义三者的统一。

（二）阅读

阅读是一种复杂的言语过程，是在具有一定词汇量的基础上发展起来的更高一级的语言能力。阅读能力的培养是整个小学语文教学的中心环节。

1. 小学生阅读能力的发展

（1）朗读

小学儿童朗读能力的发展要经历三个阶段。一是出声朗读阶段。在这个阶段表现为一字一顿地读，常常将字词人为地割裂开来。二是初步综合阶段。在这个阶段儿童为了读得连贯，往往读出一些与原文不符合的字词，常出现读错字、添字、丢字的情况。三是分析综合平衡阶段。在该阶段，儿童词汇量增加，对文字的理解也较为深入，开始以词句为单位进行整体性的朗读，即由看到的词句向说出的词句迅速、准确地转化，朗读时流畅而轻松，完整而有节奏，并能根据课文内容调节自己的速度。

（2）默读

儿童默读时语言器官的发音被抑制，不发出声音，依靠视觉和思维活动对读物内容进行分析概括，以达到理解。这就省去了发音器官的活动过程，使阅读速度加快、并易于掌握文章的意义。小学儿童默读能力的发展一般要经历两个阶段。一是小声地“默读”阶段。儿童不时发出轻而低的声音，嘴唇不断做出动作，口中念念有词，但不能把字形直接“译”成意义。二是无声阶段，经过小声“默读”阶段的训练，可以达到默读阶段，能根据上下文的意思迅速看懂内容。这时，阅读速度加快，记忆效果提高。

2. 小学生阅读能力的培养

首先，要强调准确性和目的性，在实践中培养儿童的朗读能力和默读能力。教师在儿童朗读的过程中应加强引导，使得儿童学会正确阅读的方法，例如，让儿童反复朗读课文、熟悉课文内容、了解层次结构，把握文章的重点。在儿童阅读课文之前要让其明白阅读的目的，只有目的明确了，才能读得更准确。

其次，加强段落层次分析训练，培养儿童的逻辑思维能力。在阅读过程中，划分段落、概括段落大意是一个比较复杂的环节。这个环节与儿童对字词的掌握、阅读技巧的训练和表达能力的发展都有关系。一般说来，在课文分段、概括段落大意上，小学儿童的思维发展表现为三个阶段：第一阶段，对自然小段进行片段的、不完整的概括；第二阶段，对逻辑小段进行较完整但不够简明的叙述式概括；第三阶段，对逻辑段落做出比较简明但仍带有叙述式的概括。经过训练后，低年级儿童能达到第二阶段的水平，中年级以后才能达到第三阶段的水平。

针对小学儿童阅读能力发展的特点，教师应观察儿童每一阶段的发展特点，根据每个儿童停留在每一发展阶段时间的长短，促进儿童阅读能力的提高。

（三）写作

写作是书面言语活动的高级形式，是人们把自己看到的、听到的、想到的内容用文字加以表述的心理过程，它是儿童的文字表达能力和逻辑能力的具体体现，是遣词造句、篇章结构、标点符号的综合训练，是衡量儿童书面言语发展能力的重要标志。

1. 小学儿童写作能力的发展

小学儿童写作能力的发展可以分为三个阶段。一是准备阶段，即口述阶段。初入学的儿童还没有学会按语言的规则说话，当然也就谈不上写作。低年级儿童写作能力的培养是从口头造句、看图说话开始的。二是过渡阶段。在该阶段，一般要求儿童将图画的内容用文字写下来或选择一些范文来阅读，模仿范文写作文，或改写、缩写范文。三是独立写作阶段。要求儿童独立地考虑主题、选材、布局、选词等，从而独立地写出文章的阶段，这是形成书面言语的最高阶段。

2. 小学儿童写作能力的培养

写作能力的发展与一系列的因素相联系。首先，写作能力以一定的口头表达能力为基础，特别是独白言语能力在写作能力的发展上起着重要的作用。其次，写作能力以一定程度的阅读能力为基础。一个人只有具有了一定程度的阅读能力，才能把注意力转移到领会读物的思想内容和表达方式、方法上，从而能够学习如何取材、布局、选择词语，如何使写作重点突出、表情达意，如何使写作合乎语法、修辞的要求且更富有表达力等。最后，写作能力还与内部言语的发展，特别是言语意识的发展有密切的联系。在写作之前需要预先思考作文的组织结构，在写作的过程中，需要思考如何遣词造句，表达思想，而这些都要求内部言语的积极参与，需要一定程度的言语意识以及对语言本身进行分析活动的能力作为基础。

随着年级的增长，对小学儿童写作能力的要求逐渐提高。对于一年级的儿童，应训练学会讲表达完整的话，组织观察课文插图，训练看图说话，而且要加强造句练习和看图写话练习。对于二年级的儿童，教师应启发儿童将感知事件再现，使其在头脑中出现几幅“图画”，让他们忆“图”写话。对于三年级的儿童，作文课进入语文教学中，教师应鼓励儿童多读阅读材料，并选择一些适合儿童学习的范文，作为儿童初写作文的“拐杖”，先让儿童在模仿的基础上学会写作文，然后让儿童独立创作。四年级以后，教师可以通过对范文的分析引导儿童对文章的主题、选材、布局、开头、结尾等加以摸索，且逐步进行独立的构思和写作。此时，教师还应该鼓励儿童勤观察、勤思考、勤练习，启发儿童主动地、独立地练习写作。

总体来讲，应根据不同年龄阶段儿童的发展特点侧重培养相应阶段的言语能力，低年级着重解决“字”的问题，具体而言是解决拼音、识字、写字的问题；中年级着重解决“词”和“句”的问题；高年级着重在用词造句中加入一些初步的语法知识及修辞知识。整个小学阶段的语文教学工作重视儿童听、说、读、写能力的培养，从而有机地、协调地发展小学儿童的口头言语、书面言语和内部言语。

思考与练习：

1. 什么是语言？什么是言语？二者之间有何关系？
2. 你认为环境在儿童获得语言的过程中起着何种作用？
3. 比较各种语言获得理论之间的差异。
4. 如何培养小学生的阅读能力？

第五章　小学儿童情绪、情感和意志的发展

学习目标：

1. 了解小学生情绪发展的一般特点。
2. 了解小学生情感发展的一般特点。
3. 掌握培养小学生积极情绪、情感的方法。
4. 了解小学生意志发展的一般特点。
5. 掌握培养小学生意志的方法。

内容概要：

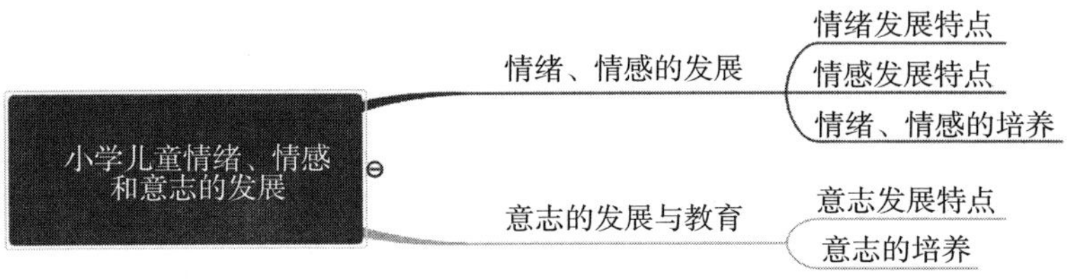

案例导读：

杜克沃斯在27岁的时候，辞去企业管理咨询行业的一份前途无量的工作，到纽约的一所公立学校教七年级学生数学。她很快意识到IQ并不是将成功的学生和失败的学生区分开来的唯一标准，一些在课业上表现很好的学生并不具有非常高的IQ分数，一些非常聪明的孩子反而在课业上表现得不尽如人意。于是，杜克沃斯开始研究学生的意志力，对上千名初中生进行了关于意志力的问卷调查，结果表明，那些更具意志力的学生在后期发展上占绝对优势。杜克沃斯的研究为小学教育工作者带来了一些启示：教育教学中不仅要重视对学生

智力的开发，还要注重对学生情绪情感、意志等非智力因素的培养。

思考：如何培养小学生积极的情绪、情感与意志?

情绪、情感和意志是影响个体行为的主要因素，小学生的情绪、情感及意志的发展对其学习和个性形成具有重要作用。积极的情绪和情感有利于提高小学生学习的动机，激发他们的学习兴趣，使他们在学习中情绪饱满。意志则使小学生克服生活与学习中的困难。因此，了解小学生情绪、情感的发展特点，培养良好的情感和意志对小学生的社会性发展具有重要意义。

第一节　小学儿童情绪、情感的发展

进入小学后，儿童的主要活动形式从游戏转变为学习。与游戏相比，学习活动是有计划、有目的的活动。在学习活动中儿童需要承担一定的任务，儿童在学习活动中经常产生不同的情绪体验，如因掌握某方面的知识而产生满足感，因考试获得好分数而感到喜悦；相反，如果学习成绩不佳，则可能体会到痛苦、悔恨、羞愧等情绪。另外，进入小学阶段后，儿童的各种高级情感迅速开始发展，如与同伴产生友谊感，通过学习活动发展了理智感；在掌握一定道德原则、形成一定道德行为习惯的基础上，开始产生了道德感等。

一、小学儿童情绪发展的一般特点

在整个幼儿期，儿童情绪的丰富性、深刻性和稳定性都还很差，情绪的自我调控能力也很弱。进入小学以后，随着生活环境的改变和认知能力的提高，儿童的情绪也得到了显著的发展。

（一）情绪的稳定性逐步增强

情绪的稳定性是指情绪在一定的时空范围内长时间保持相对不变的特性。小学儿童的情绪仍然具有冲动性和情境性，他们不但不善于掩饰和控制自己的情绪，容易受具体事物、具体情境的支配，而且小学儿童的情绪是短促的、爆发性的，诸如破涕为笑、转悲为喜等现象常常出现。随着知识经验的日渐丰富、抽象思维能力的不断发展以及自我控制水平的提高，小学儿童的情绪逐渐内化和稳定，特别是中、高年级的小学儿童，他们已经能够逐渐意识到自己的情绪表现及其可能产生的后果，控制与调节自己情绪的能力也逐步提高，不会因一时刺激或情境的变化而很快改变自己的情绪，逐渐产生了较长时间影响整个行为的情绪体验。

学 以 致 用

在美国费城，一位名叫詹姆斯的小男孩，在妈妈的陪同下看医生。经验丰富的心理医生在询问了孩子的病情后，要求他横叼一支笔在嘴里半小时。孩子和妈妈对医生的做法疑惑不解，但依旧照做了。半小时后，医生问小男孩感觉怎么样，小男孩说："半小时前感觉胸口堵得慌，现在感觉舒畅了很多"。临走前，医生不仅为小男孩开了药丸，还让他每天把笔横叼在嘴里3次，每次半小时。

思考：医生这样做的目的是什么？有何依据？

（二）情绪的可控性不断增强

情绪的可控性是指情绪的抑制或改变的随意性。小学低年级儿童容易冲动、情绪外露、可控性较差。进入学校以后，在集体生活和独自学习活动的锻炼和影响下，儿童调节和控制自己情绪的能力逐渐发展起来。虽然小学儿童的情绪仍然具有很大的冲动性，但情绪的稳定性和平衡性日益增强，冲动性和易变性逐渐减弱。总体来讲，小学生的基本情绪状态是平静而愉快的。

阅读专栏5-1：钉子的故事

有个小男孩脾气很坏，他的父亲决定帮助他改掉坏脾气。一天，父亲给了他一大包钉子，要求他每发一次脾气，就用铁锤在他家后院的栅栏上钉一颗钉子。第一天，小男孩在栅栏上钉了16颗钉子。过了几个星期，他发现，不发脾气比往栅栏上钉钉子要容易些。慢慢地，小男孩学会了控制自己的坏情绪，每天往栅栏上钉钉子的次数渐渐少了。到后来，小男孩变得不爱发脾气了。他把自己的转变告诉了父亲。父亲又建议："你如果能坚持一整天都不发脾气，就从栅栏上拔下一颗钉子。"经过一段时间，小男孩终于把栅栏上所有的钉子都拔掉了。父亲拉着他的手来到栅栏边，亲切地说："儿子，你做得很好。但是，你看看那些钉子在栅栏上留下的小孔，栅栏再也不会是原来的样子了。当你向别人发过脾气之后，你的言语就像这些钉孔一样，会在别人的心中留下疤痕。这就好比用刀子刺向他人的身体，即使把刀子拔出来，但伤口会永远存在。"

资料来源：王珺，任婧．儿童发展与教育心理学[M]. 长沙：湖南大学出版社，2020：82.

（三）情绪的丰富性不断得到扩展

进入小学后，与学习活动和学校生活有关的事物便构成了小学生情绪的主要内容。儿童情绪情感的发展由对个别事物产生的情绪情感逐渐转化为对社会、集体和同伴的情感，由事物的外部特征引起的情绪情感转化为由事物的本质特征引起情感体验。另外，小学班级是较幼儿园班级更正规的集体，个体的集体意识更强。所以，儿童的行为会更多地被赋予社会评价的色彩，他们的社会认识能力、社会情感体验和社会行为都会引起复杂多样的情绪体验。

阅读专栏 5－2：情商

情商（情绪商数）（EQ），由美国心理学家约翰·梅耶（新罕布什尔大学）和彼得·萨洛维（耶鲁大学）于 1990 年首次提出，但当时并没有引起全球范围内的关注。直至 1995 年，时任《纽约时报》的科学记者丹尼尔·戈尔曼出版《情商：为什么情商比智商更重要》一书，才引起全球性的 EQ 研究与讨论，因此，丹尼尔·戈尔曼被誉为“情商之父”，他认为情绪智商主要包含以下五个方面：

（1）了解自我：监视情绪时时刻刻的变化，能够察觉某种情绪的出现，观察和审视自己的内心世界体验。它是情绪智商的核心，只有认识自己，才能成为自己生活的主宰；

（2）自我管理：调控自己的情绪，使之适时适度地表现出来，即能调控自己；

（3）自我激励：能够依据活动的某种目标，调动、指挥情绪的能力，能够使人走出生命中的低潮，重新出发；

（4）识别他人的情绪：能够通过细微的社会信号，敏感地感受到他人的需求与欲望，即认知他人的情绪，这是与他人正常交往，实现顺利沟通的基础；

（5）处理人际关系，调控自己与他人的情绪反应的技巧。

资料来源：李锡元．管理沟通[M]．武汉：武汉大学出版社，2006：75.

二、小学儿童情感发展的一般特点

情感是与人的社会性需要相联系的主观体验，包括道德感、美感、理智感。学前时期，儿童的社会情感刚刚萌芽，在小学阶段学校教育的影响下，儿童的各种情感才进一步得到发展。

（一）小学儿童道德感的发展

儿童的道德感在 2 岁以后开始逐渐发展起来。幼儿时期，儿童的道德情感最初与行为的直接后果联系在一起，而后才逐渐同一些概括化的道德标准相联系，但这种道德标准往往是以成人的评价为依据的。进入小学以后，在教学的影响下，在日益增多的社会性活动中，儿童的道德情感得到进一步发展。

我国心理学家对儿童的道德情感进行了系统的研究，研究发现：①小学儿童的道德情感处于不断发展的过程中。低年级儿童主要以社会反应作为自己情感体验的依据，中年级儿童则主要以一定的道德行为规范为依据，而高年级儿童则开始以内化的抽象道德观念作为依据。②小学儿童的道德情感发展具有明显的转折期，一般是在小学三年级。③小学儿童的道德情感发展具有不平衡性，不同道德范畴的情感体验有所不同，如义务感、良心等情感体验发展较早较好，而与政治道德感有关的爱国主义情感的发展则相对较晚，水平也较低。④小学儿童的道德情感具有明显的个体差异。在儿童道德情感的形成和变化进程中，经验的积累和概括起着重要作用。⑤由客观现实引起的自然、直接的情感体验，以及具有高度概括性并带有激励作用的道德观，对小学儿童道德情感的发展具有重要意义。前者引起小学儿童强烈的、具有感染功能的情绪体验，后者则是由于与学生的人生观、世界观和价值观紧密相连，对道德情感的发展起着内部稳定性的作用。

（二）小学儿童理智感的发展

小学生理智感的发展主要表现在求知欲的扩展和加深等方面。学前阶段，儿童已表现出一定的求知欲，他们喜欢向成人提出许许多多的问题，但这些问题都比较肤浅，往往只涉及生活中直接、具体的事物。小学生的理智感在教育的影响下进一步得到发展。他们好奇的范围大大扩展，求知欲增加，会更加自觉地学习和掌握知识。但值得注意的是，由于受思维能力的限制，小学生的理智感仍离不开具体、直观形象的支持。

（三）小学儿童美感的发展

小学儿童审美体验的主要特点是具有直接性和对新奇的事物更感兴趣，需要对其审美趣味给予引导。小学儿童的美感体验往往容易受客观事物的形式和内容的影响，经常接触的、具有明显美的外部特征的客观事物，容易使小学儿童产生美的体验，所以，小学儿童的美感体验受社会时尚的影响明显，而那些接触较少的、具有深刻内涵的、体现于内在特征的事物，则不易引起他们的美感体验。但是，随着年级的增加，小学儿童的美感体验越来越丰富。

三、小学儿童情绪、情感的培养

大量的研究表明，儿童的情绪情感对其人格的健康发展具有重要的影响作用，因此在教育过程中，培养小学儿童健康、积极的情绪情感具有重要意义。

（一）建立良好的师生关系，提高教师情绪情感的感染力

师生关系是教学过程中最基本的人际关系，直接影响着小学儿童的情感体验，是教育能否获得成效的保证。假若一个教师本身不受小学儿童的欢迎与喜爱，要让儿童接受他的教育，完成他交给的任务是不现实的。众所周知，要成为学生喜爱的教师，首先，要具有良好的自我修养，与人为善、宽宏大度、乐观向上，用人格魅力和真挚、深沉、无私的爱去感染每一个儿童。其次要树立民主、平等的教育观，必须注意师生在人格上的平等，充分相信每个儿童具有发展的潜能。最后，要具有博大精深的学识水平，博学多闻，注重教学方法的改进，以完美的教学艺术和风格，让教学过程为小学儿童带来美的享受。所有这一切活动潜移默化地感染着小学儿童。

学　以　致　用

小辉个子矮小，家境又不好，常常受到同学们歧视。班主任王老师多次对同学们进行教育，但收效甚微。无奈之下，王老师只好另辟蹊径。小辉生日的那天早晨，同学们走进教室，惊讶地发现小辉的课桌上有一个漂亮的盒子，上面写着“天使的礼物”。小辉小心翼翼地打开盒子，惊喜地看到一个生日蛋糕。在同学们“生日快乐”的歌声中，小辉愉快地和同学们一起分享蛋糕。同学们边吃蛋糕边猜测这位送礼物的“天使”是谁？望着孩子们那一双双充满期待的眼睛，王老师说道：“天使代表着圣洁、善良，专门为人们传播真、善、美，她是不愿意披露自己姓名的，但她确实生活在我们中间。小辉是咱班第一个收到天使礼物的人，我相信天使不但会把爱带给小辉，也会带给别的同学，而我们每一个同学都可以成为别人的天使。用自己的爱心去关心需要温暖的人。”

思考：王老师的做法对你有何启发？

（二）运用合理的教学方法，让小学儿童获得愉悦的学习体验

教学是学校教育活动的主渠道，在小学儿童情绪情感培养中发挥着极其重要的作用。教师在教学活动中通过改进教学方式，在各个教学环节注重情绪情感的渲染，使小学儿童带着愉快的心情学习知识。

1. 通过创设问题情境，激发小学儿童的好奇心和求知欲

古人云：“学贵有疑，小疑则小进，大疑则大进。”教师在组织教学时，通过设置各种问题情境，使儿童产生“弄懂”知识和技能的欲望，对解决问题充满期望，从而激发小学儿童的好奇心，提高学习兴趣，引起小学儿童情感的

共鸣。

2. 重视教学过程的情感目标，调动小学儿童主动参与的热情

随着小学各学科新的课程标准的出台，为课堂教学焕发出生命活力提供了行动指南。课堂教学既有“知识与技能”领域的结果性目标，又有“过程与方法、情感态度与价值观”领域的体验性目标。这就意味着教学的任务不仅在于让小学儿童获得知识，而且要让小学儿童在获得知识的同时，获得情感体验、学会学习、形成正确的价值观。为达到这样的课程目标，教师要改变传统教学中小学儿童的被动接受式学习，要实施新的课程标准所积极倡导的自主、合作、探究的学习方式，即在教师讲授的同时，广泛采用讨论、课堂剧表演、体验与模拟实践、考察参观访问、创作与制作等灵活多样的方式进行教学。

3. 实施分层教学，让小学儿童体验成功的喜悦

小学儿童是不同的个体，具有不同的人格特点，他们对事物的体验、兴趣以及对知识掌握的程度各不相同，能够达成的目标也不一致。教师应根据学生的特点，把小学儿童分成不同的层次，确定不同的教学目标，运用恰当的教学策略，辅以不同的训练和辅导，借助各层本身的力量让每一层次的小学儿童在课堂上都有所收获，使儿童体会由学习带来的成就感、喜悦感。

（三）运用赏识教育，激发小学儿童的自尊和自信

罗森塔尔效应表明，期望是一种看不见的教育力量，对学生的发展起着重要的影响作用。教师应承认每个孩子有发展的潜能，有成功的愿望和需要，通过教育能够取得多方面的成功，对孩子抱有积极的期望，并以适当的表达方式传递给他们，激发儿童内心产生对自我的积极体验。

阅读专栏 5－3：罗森塔尔效应

1968 年的一天，美国心理学家罗森塔尔和 L. 雅各布森来到一所小学，说要进行一项实验。他们从一至六年级各选了 3 个班，对这 18 个班的学生进行了“未来发展趋势测验”。之后，罗森塔尔以赞许的口吻将一份“最有发展前途者”的名单交给了校长和相关老师，并叮嘱他们务必要保密，以免影响实验的正确性。其实，罗森塔尔撒了一个“权威性谎言”，因为名单上的学生是随便挑选出来的。8 个月后，罗森塔尔和助手们对那 18 个班级的学生进行再一次测试，结果奇迹出现了：凡是上了名单的学生，个个成绩有了较大的进步，且性格活泼开朗，自信心强，求知欲旺盛，更乐于和别人打交道。

这是因为教师收到实验者的暗示，对名单上的学生抱有更高期望，有意无意地通过态度、表情、体谅和给予更多提问、辅导、赞许等行为方式，将

隐含的期望传递给这些学生，学生则给老师以积极的反馈；这种反馈又激起老师更大的教育热情，维持其原有期望，并对这些学生给予更多关照。如此循环往复，以致这些学生的智力、学业成绩以及社会行为朝着教师期望的方向靠拢，使期望成为现实。

资料来源：周宗奎．现代儿童发展心理学[M].合肥：安徽人民出版社，1999：394.

（四）通过开展有针对性的心理辅导与训练

小学儿童的情绪发展表现出过渡性的特点，他们自主管理情绪的能力还较弱。因此，当小学儿童在学习或生活中遇到会带来压力的事件时，不可避免地会产生消极情绪。学校要通过开展有针对性的心理辅导与训练，教会学生保持良好情绪的方法，以提高其调控自己情绪的能力。

第二节　小学儿童意志的发展与教育

意志是人在行动中自觉地克服困难以实现预定目的的心理过程。意志是意识的能动性、积极性的集中体现，是人类独有的心理现象。意志的作用在于使人自觉有意识地调节自己的行动，努力克服困难，以达到预定的目标。在人生的道路上，难免要遇到各种各样、大大小小的困难挫折，坚强的意志对一个人的生活、工作、学习来说，是一种非常重要的心理素质。

一、小学儿童意志的发展特点

儿童入学以后，必须按照老师和学校的要求，克服种种困难，完成各门学科的学习任务。不仅如此，他们还必须严格遵守纪律和各项规章制度，积极参加劳动、体育活动及其他集体活动，并在活动中做出意志努力，完成集体交给的各项任务。因此，在生活和教育的不断要求下，随着年龄的增长，小学儿童的意志进入新的发展阶段。

（一）小学儿童意志发展的基本特点

小学儿童意志活动的基本规律是自控能力迅速形成和发展，意志的调节作用由对外部行为动作的控制为主，逐渐转变到对内部的心理过程的控制为主。

首先，低年级小学儿童还不善于自觉地、独立地提出行动的动机和目的。他们行动的动机和目的常常是比较短暂、具体的，因为他们还不容易理解那些远大的、抽象的行动动机和目的。到了中年级以后，随着小学儿童知识经验的增加以及思维水平的提高，逐渐学会了自觉地、独立地向自己提出行动的动机和目的，并逐步具有了远景的、抽象的、有一定社会意义的动机和目的。对小学儿童来说，那些短近的、具体的学习动机和目的，能够更好地推动他们学习，年级越低，这个特点越显著。

其次，小学儿童意志行动在做出决定与执行决定之间的时间间隔不长。他们的意志行动还比较简单，不善于为了一件事去反复思考、计划、决定和执行，再加上知识经验贫乏，思维能力水平比较低，他们的意志行动的决策与他们的兴趣爱好、教师或家长的态度有密切的联系。他们还不能够运用道德标准作为意志行动决策的依据。

（二）小学儿童意志品质发展的特点

意志品质包括自觉性、果断性、自制性和坚持性等。随着小学儿童年龄的增长，小学儿童的意志品质也逐渐发展起来。

1. 自觉性的发展

自觉性是指个体在行动中具有明确的目的，充分认识行动的意义，能主动调节和支配自己的行动以服从社会要求的意志品质。意志行动自觉性高的人，同时也具有较高的独立性和主动性。他既能倾听和接受合理意见与建议，又能坚持真理、信守原则、抵制诱惑，不盲从，也不固执。一般来说，小学低年级儿童的自觉性较差，不善于自己提出活动的要求，不善于主动、独立地调节自己的行为，常由教师和家长向他们提出明确的要求，且需要教师与家长的监督和帮助。小学中高年级儿童意志的自觉性逐渐开始发展，但在整个小学阶段，小学儿童意志的自觉性水平仍然较低，对行动的原因、结果及意义还缺乏充分的认识，还不能主动、独立地调节、支配自己的行动以实现既定的目的。

2. 果断性的发展

果断性是指个体能明辨是非、迅速而合理地做出决定并立即采取相应行动的良好品质。具有果断性的人，能迅速确立行动目的，并能果断地拟定某种行动方案，与果断性相反的则是优柔寡断和草率冒失等不良品质。小学儿童意志的果断性还较差，他们还不善于仔细、全面地考虑问题，他们在作决定时往往具有冲动性和情绪性的特点，往往考虑不够周到就很快做出决定，采取行动，还不善于按照一定的原则，经过深思熟虑做出决定。有时候也缺乏足够的力量去克服心理上的种种矛盾，担心行动会造成不良后果，怀疑自己所做决定的正确性，而出现优柔寡断的现象。

随着年龄增长，在教育的影响下，小学儿童意志果断性的水平在逐步提高。但是，在整个小学阶段，小学儿童按照一定的观点、原则，经过深思熟虑而果断地处理一些充满矛盾斗争的问题还是比较困难的。教师应该在小学儿童知识经验和智力水平力所能及的范围内，引导他们明辨是非、当机立断。

3. 自制性的发展

自制性是指个人控制和调节自己思想感情、举止行为的能力，是既善于激励自己勇敢地去执行决定，又善于抑制那些不符合既定目的的愿望、动机、行为和情绪的能力。自制力强的人，善于控制自己的思想，调节自己的行为，能够克制自己不应有的情绪冲动，抗拒来自外部和内部诱因的干扰，自觉遵守纪律，执行决定。与自制性相反的意志品质是任性，表现为放纵自己，毫无约束，感情用事，任意而为。

心理学研究表明，小学儿童意志的自制力随着年级升高而稳步发展，其发展趋势为1～3年级处于迅速发展时期，3～4年级处于平稳时期，4～5年级处于迅速发展时期，5～6年级再度处于平稳时期。小学低年级学生的自制力品质发展较快，到了小学中年级，自制力发展趋于平稳，保持在一个水平线上。小学中年级以后又出现一个快速发展时期，使意志自制力品质达到了一个新的更高的水平，说明小学中年级以后的儿童已能进一步克制因各种诱惑引起的冲动行为，能自觉地按照任务的要求坚持活动。

小学儿童意志的自制力品质的发展是稳定的、迅速的，但总体水平并不很高。小学低中年级儿童还不能很好排除内外诱因干扰的影响，特别是内部诱因的干扰。即使小学高年级儿童，受内部诱因干扰的人数仍占比较高的比例。

4. 坚持性的发展

坚持性是指个体在行动中能以坚韧不拔的毅力克服种种困难而坚持到底的良好品质。具有良好的坚持性品质的人能够在活动中持之以恒，在困难、艰苦的条件面前，不犹豫、不动摇、不停滞，能够一鼓作气，善始善终。与坚持性相反的意志品质是动摇，表现为一遇到挫折就怀疑既定目的，不加分析地放弃对预定目的的追求。

小学儿童意志的坚持性是逐步发展起来的。小学低年级学生的意志比较薄弱，坚持性比较差，他们更多地依靠外部影响来坚持完成活动任务。例如，他们常常要在成人的督促下去完成作业。到了中高年级，小学儿童的坚持性得到了发展，他们逐步能在学习、生活中克服困难，持久地进行，直到达到目标。

阅读专栏5－4：诺贝尔奖获得者的故事

他学习成绩很稳定，从上学第一天开始，总是在倒数几名徘徊。整个小学生涯，都没有特别擅长的科目，以至于采访他当年的同学，大多数人对他都没什么印象，太普通了，成绩也不好。小学的几年中，他被生物学深深吸引，甚至在学校养过上千只毛毛虫，看着它们变成飞蛾，这算是他给人最特别的记忆，因为这在当时引起老师同学的强烈反感。

他15岁时就读于伊顿公学，如愿读上生物课，这是他最喜欢的课程，但是，他的生物课成绩在250个男学生里面排名倒数第一，其他理科成绩也牢牢垫底，被同学讥笑为“科学蠢材”。当学科的成绩是最后一名的时候，还梦想将来要做这个学科的科学家，确实让人觉得荒谬可笑。

他的老师加德姆写了一份报告：“我相信他有成为科学家的志向，但以他现在的表现来看，这真是万分的荒谬可笑”。这位教师还觉得他“无法明白最简单的生物学事实”，继续教他“简直是浪费彼此的时间”。

尽管自己成绩很差，老师也认为坚持下去没有希望，但他自己没有放弃，继续坚持自己的想法，他觉得哪怕不能成为科学家，也要满足自己的爱好。中学毕业申请牛津大学时，由于成绩不佳，他被古典文学研究系录取。招生主任找到他，跟他说，牛津可以录取你，不过有两个条件：第一，必须马上来上学；第二，你不要学习入学考试的科目。也就是说，牛津大学录取他的条件，是不允许他研究生物，或许在老师看来，以他的成绩，不适合做科学家，不如去学习他所有成绩中看起来相对还不错的古典文学，因为老师认为坚持固然重要，但错误的方向，只会让人离成功越来越远。

但是，他仍然对生物学情有独钟，在牛津大学学习一年的古典文学后，他申请转入生物系，再次被老师拒绝，老师听闻过他的生物成绩，不愿意他的加入。尽管不被人们相信，他还是坚守自己的爱好，曲线选择了动物学研究，这跟生物学，有莫大的关系。

这一次，不仅仅是老师，连一直支持他的母亲，也反对转系，在母亲看来，英国的古典文学，是世界出名的，放着这么好的专业不学习，选择一个冷门的动物学，还是他成绩很差的，简直是一件疯狂的事。

他有点倔强，一如既往坚持自己的意愿，拗不过的家人，只得放任他的选择，如愿以偿，他终于开始自己喜欢的科研生涯。此后的时间，他把所有精力交给了生物研究，顶住所有的压力，最终在生物学领域“化茧成蝶”，1958年，在完成博士学位时，他从蝌蚪细胞提取出完整细胞核，成功克隆了一只青蛙，一举成名，被称为“克隆教父”，这就是约翰·伯特兰·格登，曾经最差的学生。在牛津读完博士后，他又在加州理工学院完成博士后研究，从1971年开始，他一直在剑桥大学工作，如今，79岁的他现在仍坚持全职工作。2012年，他以在细胞核移植与克隆方面的先驱，荣获“诺贝尔生理学奖”。

二、小学儿童意志力的培养

我国古代文学家苏轼说：“古之立大事者，不惟有超世之才，亦必有坚忍不拔之志。”苏联教育家马卡连柯说：“意志、勇敢和目的性的培养问题，是具有头等意义的问题之一。”优良的意志品质并不是生来就有的，而是在实践活动中，在克服困难的过程中逐渐形成起来的。小学时期是个人意志品质形成和发展的重要时期，重视对小学儿童良好意志品质的培养将对其一生的发展产生重大影响。

（一）加强目的性教育，促进意志的自觉性发展

小学儿童的意志活动是与活动目的紧密联系的，只有让他们明确行动的目的，才能自觉地、独立地调节自己的行为。在整个小学阶段，小学儿童按照一定的活动目的调节自己行为的能力是比较差的，需要依赖教师的指导和监督。根据小学儿童的这一特点，教师要逐步提高小学儿童的自觉性，培养他们按照行动目的来自觉调节行为的能力。教师在教学活动中，布置的任务要明确，并要指导小学儿童按照预定的目的和计划一步一步地完成任务。对完成任务好的要给予鼓励和表扬，对他们的意志行为要进行强化，使其逐渐形成意志的自觉性。

（二）组织实践活动，加强意志锻炼

俗语说，百炼成钢。坚强的意志是在克服困难的实践活动中形成和发展起来的。在学校教育中，日常的学习、劳动和课外活动，都需要为达到一定的目的付出艰辛和努力，这正是培养小学儿童良好的意志品质的最好途径。特别是学习活动，更需要一种锲而不舍的顽强毅力。所以，教师应该科学、严谨地组织小学儿童的学习活动，合理安排班集体的劳动和课外文体活动，使每个小学儿童融入其中，全身心地投入。当小学儿童形成了良好的学习习惯和劳动习惯，他们的意志品质也必然发展起来了。在学校日常活动之外，教师也可以有意识地组织能磨炼小学儿童意志的实践活动，如晨练、爬山、野营、徒步旅行等。

学 以 致 用

美国心理学家曾对一千多名智力超常的儿童进行长达五十年的追踪调查，发现其中有些人后来在事业上获得了很大的成就，声名显赫；有些人却一事无成，默默无闻。心理学家根据被调查者成就的大小，把他们分为“有成就组”和“无成就组”，进行比较研究发现：那些获得较大成就的人，对自己从事的事业有忘我的献身精神，执着地追求自己认定的目标，即使遇到重大挫折仍毫不动摇；而那些一事无成的人，在困难面前都畏缩不前，只是消极地等待良好环境和机遇。

思考：该研究结果对你有何启发？

（三）培养小学儿童良好的行为习惯

小学儿童良好的行为习惯可以使他们不必付出太大的意志努力便能很好地完成任务。实际上，良好的行为习惯是小学儿童将行为规则内化的具体表现。培养小学儿童的行为习惯要从小事做起，如遵守作息时间、按时完成作业、做完作业后收拾书包、自己收拾房间等。培养小学儿童行为习惯时要对他们严格要求，如要求他们应该完成的任务一定要完成，绝不能半途而废；要求他们改正的缺点就要监督他们逐渐改正。这样，在小学儿童形成良好行为习惯的同时，也培养了他们良好的意志品质。

（四）培养小学儿童的自我调控能力

小学儿童的自我调控能力较差，他们的行为往往需要成人的指导和监督。因此，教师应有目的、有计划地帮助小学儿童学会逐渐摆脱对外部控制的依赖，形成内在的控制力。心理学家的研究发现，帮助儿童以言语调节控制自己的行动是培养儿童的自制力的一个有效措施。在克服困难过程中，让儿童不断以言语指导自己的行动，可以提高对情境的各种刺激原因的区分力，使儿童能集中注意力，帮助儿童形成一系列解决问题的假设，并在短时间内保持有关的信息。

（五）充分发挥班集体和榜样的教育作用

具有良好班风的集体能培养学生对集体的责任感、义务感、荣誉感以及自尊等，这些情感有助于自控、坚毅、勇敢等意志品质的形成。所以，教师应努力使自己的班级形成良好的班风，充分发挥集体的作用，培养小学儿童良好的意志品质。

此外，还应注意榜样的作用。对于以模仿为天性的小学儿童来说，榜样的力量是无穷的，因此，教师要适时向小学儿童提供可模仿的勇于战胜挫折的榜样，加深小学儿童对挫折的认识，激起内在的上进热情，进而转化为战胜挫折的信心、勇气和动力。榜样可来自科学家、发明家、劳动模范、革命先烈以及文艺作品中的优秀人物等。教师还要善于从小学儿童周围，主要是从小学儿童中树立典型，并及时选择时机对小学儿童进行教育，这样的榜样在小学儿童身边，因而可信、可亲、可学。教师也要为小学儿童做出榜样，因为教师的模范作用具有极其重要的意义。

（六）启发小学儿童加强意志的自我锻炼

在培养小学儿童良好意志品质的过程中，一切外部影响都必须通过小学儿童的自我锻炼才能真正起作用。教师可引导小学生制订切实可行的目标和计划，在小事上严格要求自己，从一点一滴做起，坚持体育锻炼，用格言、警语激励自己等。

思考与练习：

1. 小学阶段儿童情绪发展有何特点？
2. 简述小学儿童情感发展的特点。
3. 如何培养小学生积极的情绪、情感？
4. 小学阶段儿童意志发展有何特点？
5. 如何培养小学生的意志？

第六章　小学儿童个性的发展

学习目标：

1. 理解个性的特征及影响因素。
2. 掌握弗洛伊德人格理论。
3. 理解埃里克森心理社会发展阶段理论。
4. 了解小学儿童兴趣、需要的发展特点与培养方法。
5. 了解小学儿童气质、性格、能力的发展特点。
6. 掌握培养小学生性格与能力的方法。

内容概要：

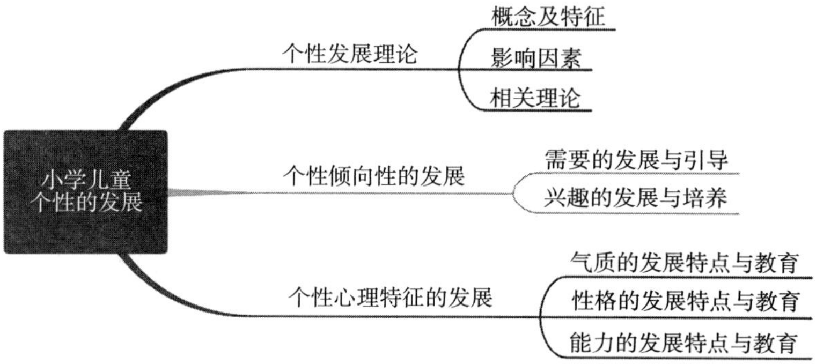

案例导读：

这是小学一年级“认识物体”的课堂，老师引导学生对长方体、正方体、圆柱体和球体进行初步感知，然后让学生们用具体实物拼摆自己喜欢的玩具或物体。学生在练习的过程中，教师巡视课堂，孩子们热情的招呼让老师应接不暇，“老师，快看我做的机器人!”“老师、老师，先看我的!”……这时，一个男孩引起了老师的关注，他时不时地抬头望望老师，胆怯、犹豫的眼神与周边孩子的热情形成强烈对比。细心的老师微笑着问这个孩子：“是想让老师看你的作品吗?”男孩的眼神瞬间明亮起来，老师走过去，弯下身，以欣赏的眼光看了看孩子别出心裁的“坦克”，高兴地说：“这个坦克可真威武！还配上了超长的炮筒呢!”男孩听了，脸上的笑容愈发灿烂，他自豪地告诉老师：“我长大了要开坦克，保卫祖国!”一个班30多个孩子，相似的年龄，面对同样的任务，却有着完全不同的情绪反应，他们或热情洋溢或安静沉稳，或急于表现或羞于沟通，这些多样化的情绪反应展现了儿童截然不同的个性。

思考：你了解小学生个性发展的规律吗？你懂得如何根据小学生个性发展特点开展教学吗?

塑造儿童健全的个性是小学教育必须完成的重要任务。通过本章的学习，我们将会了解小学儿童气质、性格以及自我意识的发展特点和规律，为有效开展教育教学活动奠定基础。

第一节　儿童个性发展理论

世界上没有两片完全相同的树叶，也没有两个个性特点完全相同的孩子。小学阶段，儿童正处于个性形成的关键时期，教师应了解小学生个体发展的差异性，懂得正确引导儿童个性发展。

一、个性的概念及特征

（一）个性的概念

个性又称人格，是个体有别于他人的精神面貌和心理面貌，它是在生物遗传基础上受社会生活条件制约而形成的各种心理特征的总和。个性由个性调控、个性倾向性和个性心理特征共同组成。其中，个性调控系统是个性发展和成熟的动力基础，包括自我意识、自我情感体验和自我调控等成分；个性倾向性是个性结构中最活跃的因素，是个体活动的内在动力，包括需要、理想、兴趣、动机等成分；个性心理特征是指个体稳定的心理特征，主要包括能力、性格和气质。

（二）个性的特征

一般认为，个性具有整体性、独特性、稳定性、社会性等特征。

1. 整体性

个性的整体性是构成个性的各种心理成分，如能力、气质、性格、情感、动机、态度、价值观、行为习惯等，这些成分在一个人身上并不是孤立存在的，而是密切联系构成一个完整的功能系统。

个性的整体性主要表现在以下几个方面：首先，各种心理成分的一致性，一个心理健康的人总是能够准确、完整地认识和评价自己，调整个性中的各种心理冲突，使自己的心理和行为保持和谐一致。如果没有这种一致性，人的心理活动就会出现无序状态，出现人格分裂。其次，个性是由各个紧密联系的成分构成的多层次、多样性的统一整体。构成个性的各种成分中，有的起主导作用，决定了个性的基本特征，有的是次要的，起辅助作用。最后，个性的整体性还表现在与其他个性特征的联系之中，使其具有确定的意义。由此可见，个性是由多种心理成分组成的有机整体。

阅读专栏 6-1：多重人格障碍

多重人格，也叫分离性身份障碍，又称为多重人格障碍等，主要表现为患者存在两个或两个以上独特的人格，每一个人格在不同特定的时间阶段先后或交替出现，表现出不同的身份状态。患者会突然失去对自己往事的全部记忆，对原来的身份无法识别，而以另一种身份进行日常活动。每种人格状态会有不同的个人经历、自我形象、身份和独立的名字，各个身份之间并不能意识到其他身份的存在，只是在一种身份占据主导地位时，其他身份会自行消失。从一种身份向另一种身份的转换常常是突然的，通常只需要几秒钟，偶尔也会是逐渐转变，这些身份的表现常常截然不同，代表了患者身份中不能整合的各个方面。

资料来源：李林江，陆凌．精神病学第 8 版[M]. 北京：人民卫生出版社．2015：383.

2. 独特性和共同性

个性的独特性是指人与人之间的心理和行为是各不相同的，由于个性组合结构的多样性，使每个人的个性都有自己的特点。但是，强调个性的独特性，并不排除个性的共同性。个性的共同性是指由于受共同的社会文化影响，同一民族、同一地区、同一阶层、同一群体的个体之间具有的共同的典型心理特点。例如受儒家文化的影响，全世界的华人具有不少相同的个性特征。因此，个性是差异性和共同性的统一。

学 以 致 用

一个 9 岁的孩子这样描述自己："在学校里，我感到我在语文和社会研究这些科目上很棒。在最后一学期，这些科目我都得了 A，感到很自豪。

可是，在数学上我却显得很笨，当看到其他同学都做得很好的时候，我会有些难过。不过，我仍然喜欢我自己，因为数学对我并不是那么重要。我自己是怎样的人，我是否受欢迎，对我更重要。”

思考：你如何看待自己个性的独特性？

3. 稳定性和可变性

个性的稳定性是指个体的个性特征经常地、一贯地表现在其心理和行为之中，具有跨时间的连续性和跨情境的一致性。例如，一个人经常地、一贯地表现得冷静、理智、处事有分寸，体现了“自制”的性格特征，偶尔表现出的冒失、轻率，则不是他的人格特征。由于个性的稳定性，我们可以从一个人儿童时期的个性特征推测其成人后的人格特征。俗话说“江山易改，禀性难移”，这形象地说明了个性的稳定性。个性的稳定性并不意味着它在人的一生中是一成不变的，随着生理的成熟和环境的改变，个性也可能产生一些变化。如社会地位和家庭结构的改变、遭遇重大突发事件等，往往会使一个人的个性发生较大改变。

4. 社会性和生物性

个性从其形成和表现的形式上看，既受社会历史的制约，又受个人生理特征的影响。例如，同一民族、同一阶层的人们在相似的生活条件下生活，逐渐形成了这个社会的风俗习惯和道德观念，形成某些共同的人格特点。但是个体的遗传和生物特性是个性形成的自然基础，影响着个性的发展方式，也决定个性特点的形成与改变过程。例如，一个神经活动类型属于强而不平衡型的人，就比较容易形成勇敢、刚毅的人格特点，要形成细致、体贴的人格特点就比较困难。相反，一个神经活动类型属于弱型的人，就比较容易形成耐心、敏感的人格特点，要形成果断、刚强的人格特点就比较困难。所以个性是先天自然素质和社会环境相互选择、相互渗透的产物。

二、影响儿童个性发展的因素

儿童的个性和社会性是逐步发展起来的，是在遗传与环境的交互作用下逐渐形成的。

（一）生物遗传因素

先天遗传主要是指那些与生俱来的解剖生理特点，如神经系统、感觉器官和运动器官的特性。关于遗传对个性的影响，科学家很早就进行了研究，并得出了相似的结论。心理学家艾森克的研究表明：同卵双生子在外向性和神经质方面的相关显著高于异卵双生子，说明遗传因素在个性发展中具有重要作用。遗传因素为儿童个性发展提供了最初的可能性。一般而言，在智力、气质这些与生物因素关系较大的特质上，遗传因素的作用较重要，而在价值观、信念、性格等与社会因素关系紧密的特质上，后天环境的作用更重要。

（二）家庭因素

家庭是社会生活的基本单位，它对儿童的个性形成与发展起着重要的作用。家庭对子女个性的影响主要体现在以下三方面：

1. 家庭成员之间的关系

家庭成员之间的关系包括父母、兄弟姐妹及祖孙之间的关系。其中，对儿童个性形成影响最大的是父母之间的关系。父母之间相互信任、关怀体贴，不仅能使儿童生活得安全、温暖、幸福，而且还会使他们对生活充满希望，养成乐观、自信等良好的个性品质，为人生发展打下最坚实的基础。相反，父母关系不和，经常产生感情冲突甚至最终离异会使儿童的个性发展受到伤害，容易形成抑郁、焦虑、悲观、孤僻等消极心理特征。

2. 家庭教育的态度和方式

美国学者鲍姆林德对父母不同类型教养的方式对子女个性的影响做了比较。研究发现，采取民主型教养方式的父母与孩子在家庭中处于一种平等、和谐的氛围中，父母尊重孩子，对儿童的行为持高标准、有很高的期望，给孩子一定的自主权和积极、正确的指导。父母的这种教育方式能够使孩子形成更为积极的人格品质，如活泼、快乐、自立、自信、自控等。采取专制型教养方式的父母在教育子女的过程中，表现得过于强势，子女的一切都由父母来控制。在这种环境下长大的孩子容易形成消极、被动、依赖、服从、怯懦、焦虑等人格特征。采取放纵型教养方式的父母对孩子过于溺爱，在这种家庭环境中成长的孩子容易表现出任性、幼稚、自私、野蛮、无礼、独立性差等特点。

3. 父母自身的个性和素质

父母是孩子的第一任老师，他们自身的个性、心理素质、文化素质、品德素质等都对儿童个性的发展具有潜移默化的影响。父母对长辈、朋友、子女尊重和爱的情感特征奠定了孩子情感生活的基础，会使他们养成友爱、助人、开朗、合群的个性特征；父母对事业的执着热爱，面对挫折的乐观态度，会使孩子间接获得坚韧的意志品质和强烈的社会责任感。

（三）学校因素

儿童进入小学后，开始真正成为集体的成员，儿童在集体活动中所处的地位，老师、同学对待儿童的态度，都影响着儿童个性和社会性的发展。

1. 课堂教学和班集体的影响

课堂教学是教师向学生传授科学知识的主渠道，也是教师对学生的个性产生影响的主渠道。由于教学过程不仅仅是让学生掌握书本上的知识，而且也在师生互动中训练学生有目的、有条理、有逻辑性的学习习惯，培养学生坚毅、顽强、不屈不挠的性格特征，锻炼学生的组织性和纪律性。此外，学校的基本组织形式是班集体，它是学生活动的主要场所，儿童在班级中的地位或在班级活动中所扮演的角色也会对其个性的形成和发展产生影响。例如，一个在班集体中得到温暖、尊重、肯定的学生，往往是积极乐观的，对生活充满信心，也容易形成集体观念；相反，一个遭到排斥、否定、冷漠和不平等待遇的学生，会形成对他人有敌意、自卑感强等性格特征。

2. 师生关系的影响

学生的个性是在与他人或集体进行直接或间接的交往中得以形成和发展的，由于这个时期他们的大部分时间是在学校度过的，所以，学校中的人际关系、情感氛围在很大程度上影响着他们个性的形成。而且，由于教师特殊的历史使命和职业特点使得他们不仅仅是学生知识上的传播者、生活上的引导者，也是学生个性的塑造者。在学生的心目中，教师如同自己的父母，引导着自己的成长。教师的言行、品德常常作为他们衡量自己品行的标准，教师的尊重和信任会使他们对自己更有信心，教师的肯定和赞赏会使他们体验到成功和愉悦。总而言之，教师的言谈举止和个性特点在潜移默化中影响着学生个性的形成与发展。

阅读专栏6-2：瓦拉赫的成长故事

奥托·瓦拉赫是诺贝尔化学奖获得者，在他开始读中学时，父母为他选择的是一条文学之路。然而，一个学期下来，老师为他写下了这样的评语："瓦拉赫很用功，但过分拘泥，这样的人即使有着完善的品德，也绝不可能在文学上发挥出来。"此时，父母只好尊重儿子的意见，让他改学油画。可是，瓦拉赫既不善于构图，又不会润色，对艺术的理解力也不强，成绩在班上是倒数第一，学校的评语更是令人难以接受："你是绘画艺术方面的不可造就之才。"面对如此"笨拙"的学生，绝大部分老师认为他已成才无望，只有化学老师认为他做事一丝不苟，具备做好化学实验应有的品格，建议他试学化学。父母接受了化学老师的建议，瓦拉赫智慧的火花被点燃了，文学艺术的"不可造就之才"变成了化学领域"前程远大的高材生"。

3. 同伴关系的影响

同伴，是指儿童与之相处的具有相同或相近社会认知能力的人。在学校教育因素中，除了教师，对儿童个性形成影响较大的就是同伴。近年来，心理学家越来越重视同伴文化对个体心理发展的重要性。同伴文化是学生团体中的一套“情感规则”，儿童在与同伴互相探讨、交流、学习的过程中不断形成对自己的评价与看法，不断修正自己个性上的缺点与不足，不断完善自己的个性品质。因此，良好的同伴关系是学生个性健康发展所必需的。研究发现，儿童时代就有亲密朋友的成人比起没有亲密朋友的成人，拥有较高的自尊，并且更有能力维持亲密关系。

综上所述，在学生个性形成与发展过程中，遗传因素是学生个性形成与发展的自然前提或物质基础，它提供了个性发展的内在可能性；家庭、学校等外部环境因素使这种可能性逐渐变为现实。

三、儿童个性发展理论

心理学历史上，弗洛伊德所创建的人格发展理论和埃里克森的心理社会发展阶段理论是系统研究儿童个性发展的最权威的理论。

（一）弗洛伊德的心理性欲理论

西格蒙德·弗洛伊德是古典精神分析学派的创始人。在与精神病人的长期接触过程中，弗洛伊德发现有些精神病人的情绪困扰并非起因于当时现实生活中的困难，而是与其童年早期的经历有关，是童年积压过多痛苦的经历所致。因此，他十分重视早期经历在人格形成中的作用并详细地描述了儿童人格的形成过程。

1. 人格结构理论

弗洛伊德认为一个人的人格由三个方面组成，即本我、自我和超我。“本我”为人格的生物成分，“自我”为人格的心理成分，“超我”为人格的社会成分。本我是弗洛伊德人格结构中最重要、最基本的部分，由先天的本能和基本的欲望组成，遵循“快乐原则”，仅仅寻求自身的快乐或解除紧张，不考虑逻辑或理由、现实或道德。本我是无意识的、非道德的，代表着直接追求和绝对满足生物性本能的人格方面。自我介于现实世界与本我之间，它的作用就是既要满足本我的本能需要，又要控制和压抑本我的冲动，自我是有意识的、理智的，遵循“现实原则”。超我代表内化了的社会和父母的道德标准，是一种监督的自我，遵循“至善”原则，弗洛伊德的超我即通常所说的良心。

人格的三种成分是逐步形成的。本我是人格的初始面，生来就有。个体为了满足自己的需要并维持一种令其适宜的紧张水平，就必须和现实世界发生交互作用。为了促进这种交互作用，自我就从本我中发展出来，充当本我和现实世界的仲裁者。超我是从自我中产生并从自我中分化出来的。它是通过儿童的自居作用将父母对儿童的约束、禁律、习惯等内化而成的。超我一旦形成，儿童就能自己控制自己的行为，自己决定对行为的奖惩了[①]。

弗洛伊德认为，三个“我”之间彼此互动从而产生一种内在动力并称这种动力为人格动力。此种内在的人格动力正是促使个体人格发展的主要原因。个体成熟后，健康的人格应该是一个平衡的动力系统：本我传达着基本的需要，自我压制着本我的冲动，而超我则负责监督、批判与管束自我，这三者之间维持一种动态的平衡。

学 以 致 用

浩浩是某小学四年级学生。在学校里，由于他成绩优异，经常在各种考试、竞赛中为班级和学校赢得荣誉。他的班主任、父母对他寄予厚望，甚至把他作为大人赢得自己荣誉的工具。他的父母一方面对他鼓励、褒奖，关怀备至；另一方面，又对他学习提出了很高的要求。一旦他学习成绩不尽人意，父母就在他面前露出不安和失望的神色。这些举动常使他产生一种“犯罪感”，觉得自己愧对父母。浩浩讲述他成绩不理想时的心理状态，“我不怕父母批评我，但是我怕看到他们失望、焦虑的眼神，他们是那样的关心我，爱护我，我的成绩不理想会让他们很没有面子，所以我要加倍的努力来为他们争光。”为了在考试中“常胜不败”，他几乎不外出与其他同学玩，一心埋头学习，内心却常常为考试担忧。此后他自己又“创造”出形形色色的禁忌行为，如在人行道上走路脚一定要踏在水泥板中央，表示“目标达到”，刷牙前先漱口6次，表示“顺利”等，通过这些禁忌行为来缓解内心超我所带来的压力。

思考：你认为造成浩浩这些行为的原因是什么？

2. 人格发展阶段理论

弗洛伊德是本能决定论者，认为人格发展的基本动力是本能，尤其是性本能。弗洛伊德按照力比多发展所经过的“性感区”的不同，把人格发展划分为五个阶段[②]。

第一阶段：口唇期（0～1岁）。口唇区域为快感的中心。婴儿的活动大多以口唇为主，摄入、撕咬、含住、吐出和紧闭是五种主要的口腔活动模式。如果对某一种原始模式产生固着作用，成年后就可能形成相应的人格特征。

① 刘金花．儿童发展心理学：2版[M].上海：华东师范大学出版社，1997：190-191.

② 叶浩生．心理学史[M].北京：高等教育出版社，2011：188-189.

第二阶段：肛门期（1～3 岁）。肛门区域成为性感区。在这一阶段，儿童会接受排便训练，这是儿童第一次接触到外部纪律或权威，因此代表了本我与社会规范之间的冲突。一般地，如果排便训练过于严格，儿童会形成过度控制的行为习惯，如洁癖、吝啬和强迫的人格特征，也有可能造成儿童的反抗，从而形成过度铺张浪费、越轨的人格特征；如果排便训练过于随便，儿童在成年后容易形成不守秩序等人格特征。

第三阶段：性器期（3～5 岁）。生殖器成为快感的中心。在这一阶段，儿童以异性父母作为自己性欲的对象，男孩对母亲产生爱恋、仇恨父亲，称为恋母情结或俄狄浦斯情结；女孩对父亲产生爱恋、仇恨母亲，称为恋父情结或厄勒克特拉情结。他指出，儿童要解决这一阶段的危机，必须依靠他们自己的先天性别倾向和对同性父母的自居作用，也即形成超我。如果这一阶段儿童能够逐渐形成超我，那么就会形成正常的人格特征。

第四阶段：潜伏期（5～12 岁）。此阶段儿童的力比多受到压抑，没有得到明显的表现。儿童这时已经进入学校接受正规教育，因此，将兴趣从家庭成员转向同伴，特别是同性同伴，倾向于避开异性同伴。

第五阶段：生殖期（12～20 岁）。此阶段是个体的性发育成熟期。个体开始试图与父母分离，建立自己的生活，逐渐发展成年人的异性恋。

弗洛伊德认为，个体的人格发展要想在性、心理和社会三方面都达到成熟状态，即达到生殖期人格的理想水平是很难的，很少有人能达到。因为人格在发展过程中会遇到两种危机：一是固着，即个体人格发展阶段满足过多或过少，从而使个体在成年后表现出该阶段的人格特征；二是倒退，即个体在人格发展过程中遇到挫折，从而从高级阶段返回到低级阶段，表现出低级阶段的人格。他认为固着和倒退是心理疾病产生的原因。

弗洛伊德以潜意识心理和性生理、性心理的发育为依据，建立了第一个系统的人格理论，揭示了人格结构和人格发展的深层原因和动力。这些宝贵的思想对人格心理学和发展心理学影响重大。但是，他过分强调性本能和潜意识的作用，忽视理性和社会文化环境的作用，使他的人格理论受到了质疑。

（二）埃里克森的心理社会发展阶段理论

埃里克森接受了弗洛伊德的许多观点，但是他不再像弗洛伊德那样重视性冲动的作用，而是更强调社会文化对人格发展的影响。

1. 人格发展渐成论原则

埃里克森借用胎儿发展的概念，认为人的发展是依照渐成论原则而开展的一个进化过程。他主张，人的生命周期可分为八个阶段，它们是固定地以不同的先后顺序逐渐展开的。在个体的发展过程中，以自我为主导，按照自我成熟的时间表，将内心需求和社会任务结合起来，形成一个既分段又连续的心理社会发展过程。

埃里克森认为，人格发展的每个阶段都存在一种冲突或两极对立，构成一种危机。他所谓的危机实际上是指人格发展中的重要转折点，既可能是灾难或威胁，又可能是发展的机遇。危机的消极解决会削弱自我的力量，使人格不健全，阻碍个体对环境的适应；危机的积极解决则会增强自我的力量，使人格得到健全发展，促进对环境的适应。前一阶段危机的积极解决会增加下一阶段危机积极解决的可能性，相反，前一阶段危机的消极解决则会削弱下一阶段危机积极解决的可能性。人格的健康发展必须综合前一阶段危机解决中的积极因素和消极因素这两个方面，所有的发展阶段都是依次相互联系的。

2. 心理社会发展阶段理论

埃里克森强调社会文化对人格发展的影响，他提出人一生要面临八种主要危机或冲突，每种冲突都在一个特定的时期产生，这个时期是由个体在生命的不同阶段所面临的社会需求决定的。埃里克森认为，只有顺利解决前一种危机才能成功过渡到下一个危机。因此，危机的出现并不是完全负面的，对于个体而言，它也具有正面的促进作用，因为当个体感受到危机的压力时，就会学习如何调整自己，以符合社会对他的要求。调整自我之后，使危机得以化解，个体的自我得以整合，人格得以发展。为此，埃里克森提出了社会发展的八阶段理论①。

（1）基本信任对基本不信任（0～1 岁）。这个阶段的儿童对父母和成人的依赖性最强，如果能够得到足够的爱和有规律的照料，满足其基本的需要，就能使他们对周围人产生一种基本的信任感，反之则会产生不信任感和不安全感。这种基本信任感的形成是未来人格健康发展的基础。

（2）自主对羞怯和疑虑（1～3 岁）。这个阶段的儿童学会了爬行、走路、推拉和说话等。他们不仅能够在一定程度上自主控制外界事物而且能够控制自身大小便的排泄。因此，儿童有了决定自己行动的意愿，这常常和父母的意愿构成冲突。在这一阶段，如果父母能有足够的理智和耐心，对儿童的行为既给予必要的限制又给予一定的自由，就会使危机得到积极解决，使儿童形成自我控制的意志品质，反之则会形成自我疑虑。

（3）主动对内疚（3～5 岁）。这个阶段儿童的活动能力进一步增强，语言和思维能力也得到了很大的发展，表现出积极的幻想和对未来事件的规划。在这一阶段如果父母能经常肯定和鼓励儿童的自主行为，儿童就会获得主动性，反之儿童就会缺乏主动性并感到内疚。如果这一阶段的危机得到积极解决，儿

① 叶浩生．心理学史：2 版[M].北京：高等教育出版社，2011：219-220.

童就会形成方向和目的的品质；反之则会形成自卑感。

(4) 勤奋对自卑（5～12岁）。这一阶段的儿童开始进入学校接受小学教育，学习成为他们的主要活动。如果儿童能够从学习活动中获得满足，他们就能获得勤奋感，反之则会产生自卑感。如果这一阶段的危机得到积极解决，就会形成能力品质；消极解决，就会形成无能感。

(5) 同一性对角色混乱（12～20岁）。这一阶段的儿童接受了更多关于自己和社会的信息，并开始对这些信息进行深入思考，为自己确定未来生活的策略。如果能做到这一点，儿童就获得了自我同一性，反之会产生角色混乱和消极同一性。埃里克森认为，同一性的形成对个体健康人格的发展十分重要，它标志着儿童期的结束和成年期的开始。

(6) 亲密对孤独（20～24岁）。这一阶段属于成年早期。埃里克森认为，只有建立了牢固的自我同一性的人才敢于追求与他人建立亲密的关系。因为与他人产生深刻的爱的人际关系，要求把自己的同一性和他人的同一性融为一体，这就需要个体做出某种程度的自我牺牲。那些没有建立牢固自我同一性的人，担心建立亲密关系会丧失自我，他们会寻求逃避，从而产生孤独感。

(7) 繁殖对停滞（25～65岁）。这一阶段的个体通常建立了家庭和自己的事业。如果个体已经形成了积极的自我同一性，就会把这一切传递给下一代，或为下一代创造更多的精神和物质财富。如果这一阶段的危机得到积极解决，就会形成关心的品质；如果危机消极解决，就会出现人格的滞留。

(8) 自我整合对失望（65岁～死亡）。这一阶段属于成年期或老年期。通常大多数人都停止了工作，处于对往事的回忆之中。如果个体能够顺利地度过前面七个阶段，就会具有完善感，不惧怕死亡。对于在过去生活中有挫折感的人，因已经处于人生的终结阶段，无力再实现未完成的生活目标，所以惧怕死亡。如果这一阶段的危机得到积极解决，就会形成智慧的品质；消极解决，就会形成失望和无意义感。

埃里克森把人格发展的基本动力由本我转向自我。他不仅重视生物因素的作用，而且更重视社会文化因素的作用，重视家庭和教育对儿童发展的重要作用。埃里克森在他的八个阶段中抓住了生命的主要问题，为儿童与青少年的教育工作提供了重要的理论依据，提醒我们重视每个阶段发展的关键问题，在后续的研究中被广泛应用。

第二节　小学儿童个性倾向性的发展

个性倾向性是个性结构中最活跃的因素，它决定着人对现实的态度以及人对认识活动对象的趋向和选择。个性倾向性主要包括需要、动机、兴趣、理想、信念和世界观。个性倾向性的各个成分并不是彼此孤立的，而是相互联系、相互影响和相互制约的。其中，需要是个性倾向性的源泉，只有在需要的推动下，个性才能形成和发展。

一、小学儿童需要的发展与引导

据我国心理学工作者的研究，小学儿童的需要并不是单一的，而是具有多角度、多层次的统一体，各类需要层次的强度趋向是在不断变化发展的。

（一）小学儿童需要的发展

1. 小学儿童活动需要的发展

小学儿童的活动需要包括对游戏活动的需要和对运动活动的需要。在整个小学阶段，儿童有着强烈的活动需要。当然，小学儿童对活动的需要与幼儿相比有所不同，幼儿主要是对活动过程本身有兴趣，而小学儿童则开始注重活动的结果，并逐步表现出更喜欢对抗性、竞赛性的游戏和运动，并且对智力游戏的兴趣日益增加。小学生尤其喜欢结合教学开展一系列活动，这些活动既能满足他们对活动的需要，也能满足他们认识的需要。我国学者研究小学儿童课外活动的需要时发现，小学二年级的儿童将做游戏作为首位需要，而年龄稍大的儿童则较注重课外阅读和文体活动。

2. 小学儿童认知需要的发展

认知需要是小学儿童的主导需要，表现为他们对学习的重视、求知欲的提高等方面。因此，儿童入学后便产生掌握读、写、算、画、唱等技能和获取新知识的主导需要。我国学者的研究发现，小学儿童认知需要的发展表现为由低级向高级发展的趋势。小学低年级儿童把有一位好的老师、好的课本、学好功课作为认知需要中最主要的内容，而高年级儿童则把探求丰富的知识、培养多方面的能力、培养优秀品质作为认知需要中最重要的内容。

3. 小学儿童交往需要的发展

当代儿童心理学高度重视儿童的交往需要，有些学者甚至把它看成是一种先天的需要。通常认为，交往需要是一种最基本的社会需要。儿童进入小学后，交往需要主要向教师和同学两个方面发展。

小学儿童与教师交往需要的发展是婴幼儿期与父母交往需要的延续，婴幼儿时期儿童将父母视为权威人物，而小学生心目中的权威人物则逐渐转移到教师身上。他们尊重教师的作用、接受教师的劝告、执行教师的指示、学习教师的言行、重视教师的评价。尽管儿童与教师之间的交往需要在不同年龄阶段有不同的表现形式，但就本质而言，小学儿童很重视与教师的交往，一般来说是乐于接近教师的。

学　以　致　用

课前，我一走进教室，几个学生便围着我有说有笑。“咦，许老师的水杯怎么还在这儿？”我笑着说，“谁帮许老师送回办公室啊？”话音刚落，离我最近的小璇同学便伸手去端水杯。当我看到她脏兮兮的小手时，竟鬼使神差地制止了她：“不用了，让课代表去吧。”课代表从教室后面跑来，高兴地端着水杯走了。上课时，我发现小璇的情绪明显低落。下课后，我便问她是不是有什么心事，她只是摇头不语。从那以后，我感觉小璇与我的关系明显疏远了。

思考：你认为该教师应如何改善与小璇的关系？

小学儿童与同学之间的交往需要是促进同伴关系发展的内因，也是保证儿童个性形成的重要条件。在整个小学期间，同学之间的交往需要日益强烈，表现为儿童日益重视同学之间的评价，日益重视集体内部的共同活动。相关研究表明，满足儿童的交往需要既能使儿童在社会生活中产生安全感、归属感，体验到他人和集体的爱，同时，也有助于儿童通过他人的评价，正确地认识自己、评价自己。此外，交往需要的满足也有利于儿童智力发展和学习成绩的提高。

4. 小学儿童成就需要的发展

成就需要是交往需要与自我实现需要相结合而产生的一种需要，是一种克服障碍、施展才能、力求尽好尽快地解决某一难题的需要。儿童在学校的学习成绩乃至今后工作成就，不仅有赖于他们实际的能力水平，更有赖于他们的成就需要。小学儿童成就需要的发展表现出如下特点①：

第一，儿童的期望变得更加现实。小学二、三年级的儿童对学业成就的期望通常是高于现实的，尽管他们中的不少人经受过学业上的失败，但儿童对于成功的可能性仍抱乐观态度。到了小学高年级，儿童对自己学习成绩的估计越来越多地考虑到过去成绩的反馈，开始对自己的能力有了客观的认识。

第二，儿童越来越多地使用社会比较来评价自己的成绩。一年级的小学儿童往往把学习成绩看作使自己和父母高兴的东西，不太懂得分数与自己掌握的知识之间的关系。中、高年级的儿童才逐步地把自己的学习成绩与学习任务相联系，会通过社会比较来评价自己的学习成绩。

第三，随着年龄的增长，儿童的抱负水平有所提高。具体表现在低年级儿

① 翟媛媛，徐红．小学儿童发展心理学[M].济南：山东人民出版社，2014：205.

童倾向于选择低难度的任务，并且热衷于重复他们曾获得成功的任务，而年长的小学儿童倾向于选择中等难度或高难度的任务，并且倾向于重复他们曾经失败过的任务。

第四，儿童对学业失败的焦虑增长。随着学习环境的要求和儿童对学习认识的发展，小学生日益关注自己的成绩情况，并对自己的学业表现产生不同程度的焦虑。

（二）小学儿童需要的引导

1. 满足小学儿童的合理需要，抑制其不合理的需要

人的需要是促使人从事各种实践活动的原动力，是促进个体心理发展的内部因素。个体需要的形成和发展，既受制于社会历史条件，也与个体的成熟水平有关，即在不同的发展阶段，个体的需要也在发生变化。小学儿童的需要既有普遍性，也有特殊性。教师应该高度重视小学儿童需要的特点，满足他们的活动需要、认知需要、交往需要和成就需要。在学校和班集体的教学及其他一切活动中创造条件，使儿童身心健康发展。满足儿童的合理需要，既有利于儿童的身心发展，也有利于教育功能的发挥和教育目的的达成。

然而，儿童是一个发展中的个体，有时也会出现不合理需要。凡是不符合儿童发展的年龄特征、不利于身心健康、不符合具体客观条件的需要都属于不合理需要。例如，要求成人代做作业、抽烟、乱花钱等。对于儿童的不合理需要，必须采取果断的措施、以坚决的态度加以遏制。

2. 引导和培养小学儿童新的更高层次的需要

儿童的各类需要层次的强度趋向是在不断发展的，其总趋势是由低向高发展。儿童的特定需要，产生于儿童身心发展的特定阶段和特定的环境。教师应根据儿童需要发展的特点，创造良好的客观环境，给予正确的教育，不断向他们提出更高的要求，引导他们向更高层次发展。儿童的需要是有个别差异的，教师在教育和教学过程中要注意观察、分析，根据不同儿童的不同特点，做好个别工作。

二、小学儿童兴趣的发展与培养

（一）小学儿童兴趣的发展

最初对学习的外部活动感兴趣，以后逐渐对学习的内容、对需要独立思考的作业更感兴趣。有研究材料表明，约从三年级起，小学生更喜欢比较新颖的、需要动脑筋的、独立思考的学习任务。例如：宁愿演算应用题，也不愿演算算式题；宁愿默写也不愿练字或抄写；宁愿讲解也不愿读书。

小学儿童的学习兴趣最初是不分化的，随着年级的增长逐渐产生对不同学

科的不同兴趣。低年级的学生对语文、数学、英语都同样感兴趣。随着知识的丰富、能力的发展和教师的教学影响，中年级的学生逐渐表现出对某一学科的兴趣。但这种兴趣仍然不稳定，容易受教师和家长的影响。

对有关具体事实和经验的知识较有兴趣，对有关抽象的、因果关系的知识的兴趣在初步发展着。低中年级的学生感兴趣的是具体的活动和事例。例如：阅读故事、从事技术活动、体育活动等。四年级后，他们开始对自然现象和社会现象的因果关系、初步计算规律的应用、语法结构的变化等感兴趣。

游戏因素对低年级小学生的学习兴趣起着一定的作用，从中年级起，这种作用逐渐消失。低年级小学生对"从玩中学"的方法更感兴趣，如通过摆弄学具的直观动手活动来学习数学。从中年级起，这些因素下降，其对新颖的教材内容本身更感兴趣，喜欢动脑筋，独立思考。

阅读专栏 6-3："挤时间"发展兴趣爱好的小学生

"挤时间"是许多忙碌的成年人常用的词，如今却成了孩子们争取发展兴趣爱好的唯一方法。调查显示，72.9%的孩子表示自己要挤时间来发展兴趣爱好，75.4%的父母认为孩子"时间不多，但因为他喜欢，仍可以挤出时间来"。

调查显示，7～10 岁的小学生中对许多学科都感兴趣的占 76.7%，只对一两科感兴趣的占 23.2%；而在 11～13 岁年龄组中，对许多学科感兴趣的比率降至 67.8%，只对一两科感兴趣的百分比却上升到 31%。显然，在学业压力之下，并不是所有孩子都能一如既往地坚持自己原有的兴趣爱好。当问到"你觉得现在上的兴趣班或者特长班是你的兴趣吗"时，61.5%的 7～10 岁小学生给出了肯定回答，而在 11～13 岁年龄组中，该比例却下降了 13 个百分点。相应的，11～13 岁的小学生对父母安排兴趣班的不满意度也比 7～10 岁年龄组提高了近 7 个百分点，由 12.5%上升到 19.3%。无论是哪个年龄段的孩子，都有三成左右的孩子对兴趣班表达了"不喜欢也不讨厌，反正学这些对将来有用"的理智态度。"对将来有用"变成了孩子们坚持上兴趣班的最大理由，兴趣班开始变得跟个人"兴趣"无关。随着年级的升高，父母对孩子兴趣爱好的支持率也在降低。调查显示，7～10 岁的小学生中，51.9%的孩子认为父母非常支持自己的兴趣爱好，而在 11～13 岁的小学生眼中支持率则降至 43.2%。

资料来源：王烨捷，吕海波．调查：72.9%小学生要"挤时间"发展兴趣爱好[N]. 中国青年报，2007，12.10.

（二）小学儿童兴趣的培养

1. 在活动中发展儿童的兴趣

儿童的兴趣需要在活动中得到发展，也只有在活动中才能发挥它的推动作用。成功的经验是发展儿童兴趣的重要途径，教师应该让儿童在活动中体验到成功的欢乐。学校和教师要为儿童创造参与多种活动的机会，让他们在活动中形成和发展兴趣。首先，在教学中，应调动一切积极手段，让小学儿童在课堂中开动脑筋、手脑并用，使他们生动、活泼、主动地学习。其次，学校要充分利用课外活动和先锋队活动，组织各种有趣的游戏、参观、比赛、游览、公益劳动等活动，把校内活动与校外活动结合起来，开阔儿童的视野，在活动中培养儿童的兴趣。

2. 激发和保护儿童的有益兴趣

在兴趣的发展过程中，有些兴趣能促使儿童从事正当的、有益于身心健康的活动，有些兴趣也能导致儿童从事不正当的、不利于身心健康的活动。教师要善于激发和保护儿童的有益兴趣，对于不利于健康的兴趣，要对学生晓之以利害，并教会小学生用积极向上的活动替代这些无益的兴趣。

3. 利用原有兴趣迁移

兴趣的迁移是指将已有的稳定兴趣延伸到其他的事物或活动上的现象。例如，将小学儿童对游戏活动的兴趣迁移到学习过程上，使他们对学习形成浓厚的兴趣。兴趣迁移的条件有三个方面：第一，要善于发现小学儿童感兴趣的事物或活动；第二，要善于寻找新的事物或活动与原有兴趣之间的相通点；第三，要在实际活动中循循善诱、促使儿童产生新的认识需要，并指导他们克服困难。在小学教育实践中，教师要善于运用迁移的方法培养学生的学习兴趣，这是从根本上改善学习态度的有效措施。

4. 适当的表扬和鼓励

适当的表扬和鼓励是强化小学儿童兴趣的有效手段。小学生取得成功时，教师的表扬和鼓励能够使其产生一种强烈的成功体验，使他们认识到自己的能力及价值，从而进一步增强原有的兴趣。这是因为表扬和鼓励体现的是一种社会评价，这种评价能为儿童提供积极的反馈信息，使儿童对自己的行为形成肯定的认识。

第三节 小学儿童个性心理特征的发展

爱因斯坦说过，每个人都身怀天赋，如果用会不会爬树衡量一条鱼的话，这条鱼会认为自己终身愚蠢。每个儿童都有与生俱来的气质特征，在后天成长的过程中会形成与众不同的性格特征，小学教师要了解小学儿童气质、性格、能力的发展特点，学会尊重儿童的个体差异，从而进行有针对性的引导与教育。

一、小学儿童气质的发展特点与教育

气质是表现在心理活动的强度、速度、灵活性与指向性等方面的一种稳定的心理特征，即我们平时所说的脾气、秉性。人的气质差异是先天形成的，受神经系统活动过程的特性所制约。孩子刚出生时，最先表现出来的差异就是气质差异，有的儿童爱哭、好动，有的儿童情绪平稳、安静。根据人类高级神经活动的强度、平衡性和灵活性，可以将气质划分为四种类型，即胆汁质、多血质、黏液质和抑郁质。

（一）小学生气质发展的特点

儿童气质的发展表现出随着年龄的增长，反应强度下降、坚持性增强的倾向。有研究表明，3～4 岁是儿童气质发展的关键期。张劲松等人的研究发现，儿童的气质特点从 7 岁左右开始稳定，且儿童气质的性别差异随着年龄的增大逐渐显现出来，8～12 岁男孩的活动量较高，但预见性较差、反应强烈、坚持性较低，女孩则正好相反。①

小学生正处在长身体和长知识的时期。由于身体的生长发育和认识周围现实的需要，使儿童的心理活动带有某些容易同气质特征相混淆的特点，如由于知识经验缺乏而导致的自我评价偏高；由于神经发育特点而导致思维缺乏灵活性、注意易涣散、兴趣多变、易于疲劳等。还有小学生的一般特点，如活泼好动、纯真率真等，多体现了多血质、胆汁质等气质类型的特点。

（二）小学生气质类型

1. 胆汁质

气质类型为胆汁质的小学生急躁、直率、热情、情绪兴奋性高、容易冲动，具有外向性。这种类型的小学生在行为方面表现为喜欢参加课内外、校内外的一切活动，精力充沛，喜欢接触新鲜事物。对于这种类型的小学生，教师应着重培养他们的耐心、沉着和自制力等心理品质。

2. 多血质

气质类型为多血质的小学生活泼爱动、情绪发生快、思维活动敏捷、适应性强、喜欢与人交往，但难以保持对一项活动的持久兴趣，与人建立的情感也不真挚。对于这种类型的小学生，教师应着重培养他们刻苦钻研的精神，严格

---

① 苏洵，钱雅文．小学儿童发展与教育[M]. 镇江：江苏大学出版社，2020：172.

要求他们有始有终，养成合理的生活规律。

3. 黏液质

气质类型为黏液质的小学生在情绪反应方面沉着、平静、迟缓、心境平稳、不易激动，很少发脾气，情感很少外露。在行为方面沉默寡言、能委曲求全、自制力强、能承担较繁重工作。在学习上遵守纪律，有时表现执拗、淡漠，对作业深思熟虑、反复检查，回答问题不慌不忙、想好才讲，说话缓慢、平静而有条理。教师面对这种类型的小学生时应着重培养他们的敏捷性，让他们经常参加各种活动。

4. 抑郁质

气质类型为抑郁质的小学生情感体验深刻、善于觉察别人不易觉察的细节；情绪反应方面比较平静、情感生活贫乏，但有时情感体验也很强烈，容易患得患失。在行为方面动作迟缓、胆小、忸怩，在任何活动中都很少表现自己、不喜欢抛头露面。在学习上反应迟缓，怕老师提问。对于这种类型的小学生，教师应多加鼓励和支持，培养他们的自信心。

学 以 致 用

案例一：他性子很急，每次拿小人书，都是拿一大沓，翻得很快，即使新书也会很快看完，喜欢活动量大的活动，每次玩创造性游戏，总是玩打仗。他是全班扔沙包扔得最远的一个。他爱逞能，有一次全班同学正在排队，他突然跑出队伍，用力拉住正在转动的转椅。他上课时坐不住，有时会随便站起来或在椅子上乱动。即使老师对他有所示意，他仍然克制不住，对老师的提问常常没有听清楚就急着回答，因此常常答非所问。

案例二：她在班里跳绳比赛总得第一名。每次学新舞蹈，总是班里学得最快的，她理解能力强、上课经常积极举手发言，并基本上能做出较好的回答。她对感兴趣的课能长时间集中注意，对不感兴趣的课不能集中注意力，也做小动作。但看见老师稍一示意，便能克制自己。她能较快地适应不熟悉的环境，第一次上台报幕和第一次为外宾演出，都能很好地完成任务。她喜欢和同学一起玩，从来不一个人单独玩，很善于和同学交往，在游戏中常常当小领袖。

案例三：他很自制。他喜欢画画，有时候其他同学都出去玩了也不受影响，一直画到自己满意后才出去玩。看木偶戏时，有的同学哈哈大笑，他只是安静地笑。如果受了委屈，整个半天情绪都不好。他上什么课都能集中注意力，坐在他旁边的同学在打闹时，他也不予理会。他一直在练打靶枪和打羽毛球，他是全班最早学会这两项活动的。在坚持性的测查中，他坚持的时间比其他同学长。

案例四： 她易于察觉别人不易察觉的事情。在实验中，两根铁丝本应是等长的，但实际上有极细微的差异。先后参加实验的 10 个同学，只有她一个人注意到这个差异。她不喜欢说话，喜欢一个人玩。有时其他同学凑过来玩，她也不说话，只是厌烦地把他们推开，更不愿与陌生人接触。她情绪不易外露，受到表扬时，也没有什么表示。在学校里遇到不高兴的事，常常毫无表情，但回家后对着妈妈哭。她上课时很安静，经常是以同一个姿势坐着。吃饭时，不管饭菜多么好，从不见她大口吃。

思考：你会判断案例中儿童的气质类型吗?

（三）小学生气质特点与教育

教育工作者在教育过程中，应根据学生的气质特征对其行为表现做出预测，采取与学生的气质特点相匹配的教育、教学方法，才能取得良好的教育效果。

1. 教师应正确认识儿童的气质差异

气质只能使人的心理活动染上某些独特的动力色彩，但不能决定个体活动的社会价值和成就高低。教育工作者要正确认识和对待不同气质类型的学生，不要以自己的情感好恶，亲近或疏远某种气质类型学生。教师应认识到任何一种气质类型都存在有利于形成某种积极或消极个性品质的可能性，如胆汁质的儿童比抑郁质的儿童更容易形成勇敢的品质，但不易形成稳重、自制的品质。因此，教育工作者要善于帮助学生分析和认识自己的气质特征中的长处和短处，有意识地利用其积极方面，塑造优良的个性品质。

阅读专栏 6-4：评定气质类型的方法

要正确而科学地鉴定学生的气质，首先要掌握气质的鉴定方法。

（1）条件反射测定法：条件反射测定法是指在实验室里运用一定的仪器让被试在形成条件反射的过程中，观察其神经过程的强度、平衡性、灵活性等特征，从而了解和确定其气质特征的方法。这种方法比较科学，得到的结果比较准确，但需要一定的仪器，主试亦须经过特殊训练。

（2）量表测定法：量表测定法要求被试对一系列标准化的问题给出回答，然后从中分析被试的气质特征。常用的量表有简·斯特里劳气质调查表和陈会昌编制的气质调查问卷。简·斯特里劳气质调查表共有 134 个测验题目，包括兴奋强度、抑制强度、灵活性三个量表及一个二级量表（平衡性）。陈会昌编制的气质调查问卷由 60 个题目组成，包含胆汁质、多血质、黏液质和抑郁质四种气质类型及混合型。

（3）行为观察法：行为观察法是指在日常生活条件下，观察一个人的气质特性，从而做出气质类型的判定。教师要了解学生的气质特点，可以通过观察学生在各种活动中的表现来确定。比如，学习新知识的快慢，完成作业的速度，在活动过程中的坚持度等；当受到表扬或批评时，他们的情绪活动有什么特点；在运动中是否勇敢、机智；日常生活中是否活泼好动，对新环境是否很快适应等。通过这些观察，可以了解儿童的气质类型。

资料来源：王雁．普通心理学[M].北京：人民教育出版社，2002：351-352.

2. 依据气质差异选择教育策略

教师在教育过程中要充分考虑学生气质类型的差异，针对学生不同的气质特点，采取相应的教育方法。例如，对于多血质的学生，教师要发挥其灵活、敏捷的优势，同时要培养他们认真踏实、坚持到底的精神。对于胆汁质的学生，教师要发挥他们顽强、真诚、果断的一面，同时要培养他们的耐心、自制力、情绪管理的能力，教育教学中要注意不要针锋相对地激怒他们。对于黏液质的学生，教师要肯定他们踏实、稳重的优势，同时要培养他们积极主动、热情开朗的一面，教育教学中要注意耐心，给足他们思考和反应的时间。对于抑郁质的学生，教师应对其多关心、爱护，培养他们良好的人际互动，不宜在公开场合批评指责，不宜过于严厉。

学 以 致 用

根据《论语》记载：有一次，孔夫子与学生公西华正在谈话，子路来向孔子请教“听到了就马上行动吗?”孔子答：“有父兄在，为什么急于行动呢?”一会儿，冉有也来请教同样的问题，孔子说：“听到了就马上行动!”公西华不明白教师为什么对同一个问题给予不同的回答。孔子解释说：“子路总是好胜，我是有意让他遇事后退一步，冉有胆小，我是有意鼓励他遇事极力向前。”

思考：孔夫子的教育智慧对你有何启发?

3. 教育学生认识并掌控自己的气质

教师应帮助学生认识自己的气质类型，分析自己气质特征中的长处和短处，具有扬长避短的意识。例如，教给胆汁质学生情绪管理的方法，教给多血质学生持之以恒、坚持到底的方法；教给黏液质学生主动积极的方法；教给抑郁质学生克服敏感和提升人际互动的方法。通过让学生了解自己的气质特点，使其学会有意识地控制自己气质中的消极特点，发扬其积极品质，从而形成良好的个性品质。

二、小学儿童性格的发展特点与教育

性格是指一个人在个体生活过程中所形成的、对现实的稳定态度以及与之相适应的习惯化的行为方式。

（一）小学儿童性格的发展特点

心理学家把性格发展的年龄阶段分为形成期、定型期和成熟期等阶段，小学儿童处于性格的形成期。他们的性格发展随着年龄的增长而逐渐成熟，但在性格形成的过程中表现出不平衡、不等速的特点。

小学低年级儿童的性格发展基本上处于平稳期。在性格的情绪特征上，主导心境较为积极；在性格的意志特征上，主要表现为果断性、独立性、自我控制能力水平较低，发展也较为缓慢；在性格的认知特征上表现为求知欲发展较快，探究欲望和好奇心十分强烈。

随着儿童自我意识的发展，中、高年级小学生对独立性的要求变得越来越明显，性格特征中也会表现出一定的独立性。高年级是小学儿童性格发展的关键期，其变化的总趋势为情绪的强度和持久性迅速增长并出现高峰，求知欲发展很快，但自我控制能力明显不足。这一阶段的儿童通常是变化无常的，有强烈的情绪、情感体验，但又缺乏良好的自我调控能力。所以，对这一阶段儿童的性格塑造应该引起我们足够的重视①。

小学阶段的儿童在性格特征上存在十分明显的差异。在性格的态度特征方面，有的儿童关心集体、认真、勤奋、爱劳动、有同情心、谦虚、自信，有的儿童则自私、懒惰、马虎、鄙视劳动、冷漠、自卑。在性格的理智特征方面，有的儿童感知时仔细而全面，记忆速度快而准确，思考和解决问题主动而有逻辑性；有的儿童则是感知粗略，记忆速度慢而缺乏精确性，思考和解决问题被动而轻率。在性格的情绪特征方面，有的儿童心境愉悦、平和、开朗、乐观，有的儿童则容易紧张、焦虑、冷淡、心境低落。在性格的意志特征方面，有的儿童遵守纪律，有一定的自制力、坚持性和独立性；有的儿童则相反。这些性格特点对儿童的学习与生活都会产生一定的影响作用。

（二）性格对小学生的影响

性格对小学生的影响是多方面的，例如，对小学生的学习、人际交往都会产生影响作用。

---

① 伍新春．儿童发展与教育心理学（第二版）[M]. 北京：高等教育出版社，2013：109.

1. 性格对小学生学习的影响

研究表明，儿童的性格特征和学习效果存在显著相关，良好的性格特征有助于学业上的成功。例如，学习者的信心、良好的心境、高水平的志向和积极进取的性格特征都会对学习带来良好的影响；反之，消沉、自卑、马虎、依赖等不良性格特征则会导致消极、退缩、羞愧等情绪体验，造成学业上的失败。同时，小学儿童良好性格的形成也有益于他们在以后各阶段的人生发展。

2. 性格对小学生人际交往的影响

性格还会影响小学生的人际交往。有研究指出，认真踏实、责任心强、愿意帮助别人的小学生，人缘关系最好；脾气粗暴、性格内向的小学生，易出现同伴交往问题①。

（三）小学儿童良好性格的塑造与培养

人的性格是社会因素与自然因素相互影响、相互渗透所形成的统一体。小学阶段，儿童的性格具有很强的可塑性，这是良好性格培养的前提。除了家长要重视小学儿童的性格培养外，小学教师也应切实承担起塑造儿童优良性格的任务。

1. 在知识教育中培养学生的良好性格

小学教师在传授知识的同时，也要对学生进行正确人生观、世界观、价值观的教育与引导，在此基础上塑造学生良好的性格品质；引导学生多阅读优秀文学作品及名人传记，观看优秀影视作品，通过其中人物正面形象的性格魅力，潜移默化地影响学生。

2. 在实践活动中培养学生的良好性格

小学生的性格总是在日常生活中产生并表现出来的。小学教师应该有目的、有计划地组织学生参加各种形式的实践活动，在活动中塑造学生的性格。例如，通过运动会、夏令营、冬令营等活动培养学生的集体责任感；通过书法、音乐、绘画等艺术活动培养学生的坚忍和耐性；通过社会公益活动培养学生的同理心等等。在活动中，教师要对学生多鼓励欣赏，少批评指责，要引导学生相互学习和自我教育。

3. 通过班集体培养学生的良好性格

班级是学生进行集体活动的基本场所，是与学生的学习和发展息息相关的微观环境。因此，教师要从建立良好班集体入手，采取民主的管理方式，尊重、关心、爱护每个学生，营造良好的班风，鼓励学生在班集体的活动中互帮

---

① 冯维．小学心理学（第5版）．［M］重庆：西南师范大学出版社，2020：102-103.

互助、团结友爱、积极向上，通过班集体的教育力量来塑造学生的良好性格。具体而言，应从以下几个方面做起：第一，可以从建设良好的班风入手，平时注重对小学生思想品德、纪律意识等方面的有意识培养；第二，教育小学生热爱班集体，把班集体比作自己的家，老师和同学都是家人，应该相互关心，互相帮助；第三，利用班会进行礼仪教育，培养小学生以礼待人、谦虚诚恳的性格品质。

4. 教师榜样示范培养学生的良好性格

小学生往往把教师当作自己学习的榜样，教师的一言一行都受到学生的关注。小学教师作为知识的传授者、集体的领导者、纪律的执行者和监督者，容易成为学生模仿和学习的榜样。因此，教师应该注意自己的言行举止，处处为人师表，事事严以律己；教师要热爱、尊重学生，多与学生进行情感的交流与沟通，良好的教师示范可以使学生感受到温暖，促使学生形成友爱、关心尊重他人的良好性格。

三、小学儿童能力的发展与培养

能力是一种综合性的个性心理特征，它是个人适应环境变化、顺利完成活动任务所必需的、比较稳定的心理特征。小学阶段是儿童能力发展与培养的关键时期，教师需要了解小学儿童能力发展的基本规律，掌握培养小学儿童能力的基本方法。

（一）小学儿童能力发展的特点

1. 能力类型的差异

由于先天素质和后天教育的差异，小学儿童在一般能力，如观察力、记忆力、思维能力等方面都有各自不同的特点。在观察力方面，有的小学儿童善于分析细节，但缺乏整体概括的能力；有的儿童概括能力较强，却不善于把握细节。在记忆力方面，有的小学儿童善于视觉记忆，有的则善于听觉记忆；有的小学儿童更容易记住形象、生动的记忆材料，有的小学儿童则更擅长记忆抽象、逻辑性强的材料。在思维方面，有的小学儿童属于形象思维型，其思维和言语中有较强的形象性和情绪因素，而有的小学儿童则属于抽象逻辑思维型，其思维和言语中抽象的逻辑联系占据主导地位。

小学儿童在特殊能力上也表现出个别差异。例如，有的小学儿童具有音乐、美术、体育运动、表演等特殊能力，而有的小学儿童则在阅读、写作、数学、自然科学等学科上显露才能。

我们的教育目标是培养德、智、体、美全面发展的人才，因此，教师既要注意小学儿童科学文化知识的学习，同时也要注意小学儿童特殊能力的发展。

小学儿童的某些才能在某些条件下可能处于潜在状态，要求教师具有敏锐的目光，具有发掘和培养人才的热情，努力创造条件，使儿童的潜能得以充分发挥出来。

2. 能力发展水平的差异

心理学研究表明，小学儿童在能力发展水平上存在不均衡的现象，绝大多数小学儿童的能力发展处于中等水平，但有少部分小学儿童的能力发展高于常态，也有少部分小学儿童的能力发展低于常态。因此，小学生的能力发展水平符合统计学上的正态分布，其特点是处在中间位置上即能力发展处于中等水平的人数居多，处在极高或者极低这两个水平上的人数较少。作为教师，理解这样一种能力分布现象至少有两个方面的意义：一是要注意把教育的着眼点放在属于中间能力的大多数人身上，根据他们的特点施加教育影响；二是要有效地分辨出能力发展水平的高、中、低分布，因材施教，促使不同水平的小学儿童的能力都能得到充分发展。

阅读专栏 6－5：智力超常与智力落后小学生

智力超常小学生的智商通常为 120～129，他们的特征是：①求知欲强，兴趣广泛，学习热情高。②观察力敏锐。③思维敏捷，理解力强，善于抓住问题的关键。④注意力集中，能长时间集中注意力在学习或其他活动上。⑤想象活跃，富于幻想，常标新立异。⑥极具独立性和创造性，不迷信权威，有自己独特的见解。⑦有强烈的好胜心和坚强的意志，充满自信，积极乐观。

智力落后小学生的智商通常为 50～70，他们的特征是：①知觉速度慢，认知范围狭窄，认知内容笼统而贫乏。②记忆速度慢，遗忘速度快，再认能力差。③词汇贫乏，缺乏连贯性。④思维带有很大具体性，难以掌握抽象概念，对数概念的掌握能力差。

资料来源：冯维．小学心理学（第 5 版）[M]．重庆：西南师范大学出版社，2020：284.

3. 能力表现的年龄差异

人的能力表现有早晚的不同。有些人的优异能力早在童年时期就表现出来，但是，也有一些人的能力表现较晚，属于大器晚成。心理学研究表明，无论是一般能力还是特殊能力，都具有各自不同的发展期，而小学阶段是能力发展的关键时期，能力开发越晚，其发展的可能性越小。

（二）小学儿童能力的培养

就一般意义来说，对小学儿童能力的培养主要应从以下几方面入手，并注意这几个方面的内在联系。

1. 激发小学生的兴趣

小学生对事物或活动的兴趣被激发后，他们将会投入更多的精力使其能力得到更多的锻炼。除了正常的课堂教学之外，教师还应当充分利用各种社会实践活动来激发小学生的直接兴趣，培养和锻炼他们的能力，如成立各种兴趣小组，让小学生有更多参加活动的选择和机会。

2. 加强知识与技能的学习与训练

能力是在掌握和运用知识、技能的过程中不断得到发展的。因此，注重小学生基础知识的同时，也要运用各种练习训练小学生相应的各种技能，培养小学生相应的能力。教师在教学过程中要注意开阔小学生的视野、拓宽知识面、提高小学生的概括水平，帮助小学生形成良好的认知结构，促进学习迁移的产生。此外，教师还应该重视小学生智力技能的训练，指导小学生掌握各种技巧、规则和方法，反复强化训练，从而形成较为稳固的智力技能，以促进小学生思维能力和概括能力的发展。

3. 针对小学生的能力差异因材施教

小学生能力发展的特点表明，每个学生都有自己的独特之处。因此，教师应通过观察、测验等各种方法了解学生的能力差异，并据此对学生提出不同的要求，进而采取不同的教育、教学措施与方法，对学生进行个别指导。如针对学习成绩较好的学生，应提出相对较高的要求、提供较难的学习任务，鼓励他们独立思考，创造条件锻炼他们的能力；对能力发展水平正常但成绩较差的学生，要针对他们各自的特点，从学习态度和学习习惯入手，帮助其提高学习兴趣与效率。

4. 培养小学生的元认知能力

元认知是指个体对思维活动的自我体验、自我观察、自我监控和自我调节。小学生的元认知对于小学生的智力发展起着至关重要的作用，元认知能够支配学生的学习活动、调节学生的学习积极性、促进学生的思维创新，能够帮助学生形成良好的自我学习习惯。因此，教师在教学活动中应有意识地培养小学生的元认知能力，使其学会计划、监控和调节自己的学习过程，教会学生学会高效学习。

阅读专栏 6-6：在数学教学中提高学生的元认知能力

在讲解《量角器的使用》的时候，教师可以给学生提出两个问题，当你准备使用一个工具的时候首先应该着手去做什么？学生会想到先认识它，接着教师再问学生当你学会使用量角器之后应该去做什么？学生会想到去使用它，这样的问题可以启发小学生对于数学的学习进行合理的计划和预测，从而增强学生学习的计划性。

小学生在学习计算小数乘法的时候，经常由于一些小数点位数的问题降低做题的正确率，这就要求孩子养成自觉验算的好习惯。教师一定要注重培养小学生自我检验的好习惯，做完题目后要进行认真地检验，在辅导学生做题的过程中，要给学生渗透一些自我提问的问题：为什么要这样做？这样做对吗？有没有其他的解决方法呢？哪一种方法最好？通过这些自我监控的思想渗透，逐步让孩子形成自我监控的意识，提高元认知能力。

在讲授完《位置的认识》的时候，教师可以先让学生自我总结自己的学习成果，例如，通过这节课自己学到了什么，掌握了哪些重要的知识点。这对于学生归纳总结能力的提高是非常有帮助的，能够让孩子在学习过程的反省中强化成功、矫正错误，促进其元认知水平的提高。

资料来源：何云．提高元认知水平，培养小学生的自学能力[J]. 读与写，2013（3）：220.

5. 培养学生的非智力因素

能力属于个性的组成成分，与个性特质密切相关。要发展能力，就不能脱离整个个性的培育与发展。重视对小学生非智力因素的培养与引导，如兴趣、意志、情感等，更易调动学生学习的积极性，使小学生形成正确的需要，培养其良好的学习习惯和坚强的学习意志，形成良好的性格特征。

思考与练习：

1. 简述弗洛伊德人格发展阶段理论。
2. 埃里克森将个体人格发展分为哪些阶段？
3. 教师应如何对不同气质类型的小学生展开教育？
4. 影响小学生性格形成的因素有哪些？
5. 如何培养小学生良好的性格？

第七章　小学儿童社会性的发展

学习目标：

1. 理解社会性发展的含义及特征。
2. 掌握小学生自我意识发展的特点。
3. 了解培养小学生自我意识的方法。
4. 掌握同伴关系的类型及评定方法。
5. 了解小学生性别差异的表现。
6. 掌握开展小学生性别角色教育的方法。

内容概要：

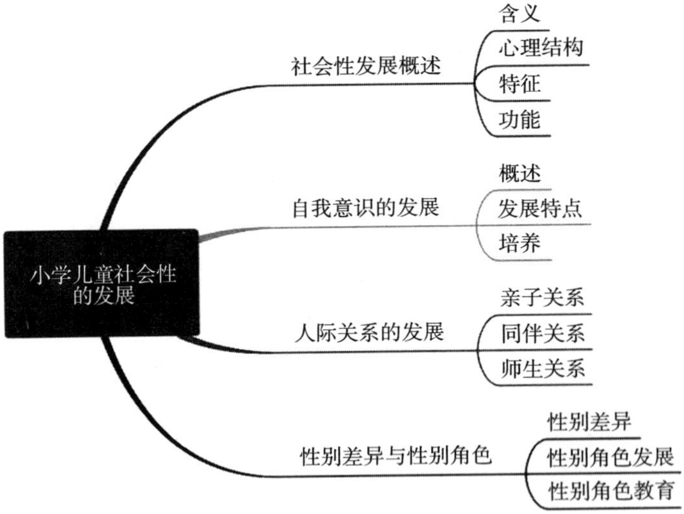

案例导读：

记得上小学的时候，每当过教师节，班长都要组织大家给老师送礼物。有的同学选择了自己喜欢的毛绒玩具、卡通玩偶，有的同学则会选择老师经常用到的水杯或老师喜欢的鲜花等。我们每个人选择的礼物都不一样，但是大致分为两类：一类是自己喜欢的礼物，因为爱屋及乌便觉得老师也会喜欢我喜欢的东西；另一类是会考虑老师的喜好，选择老师喜欢的礼物。

思考：为什么有的孩子只能从自己的喜好出发为老师选择礼物，而有的孩子却能够从老师的喜好出发选择礼物呢？

社会性发展是个体获得社会所必需的知识技能、内化社会价值规范，从生物个体成为一名合格的社会成员的过程。儿童社会性发展的过程也就是儿童的不断社会化过程。小学阶段是儿童社会性发展的重要时期。

第一节　社会性发展概述

一、社会性发展的含义

社会性是人们进行社会人际交往、建立人际关系、掌握和遵守社会行为准则并调控自身行为的心理过程①。

二、社会性发展的心理结构

社会性发展主要包括社会认知、社会情感、社会行为技能等内容的发展。社会认知主要是指个体对自己和他人的观点、情绪、思想、动机的认知，包括对他人和自我的认知，对人际关系的认知，对人的行为原因的认知，是个人对他人的心理状态、行为动机、意向等作出推测与判断的过程。社会情感是指儿童在社会生活、社会交往中的情感体验。社会行为技能是指儿童在参与社会活动时表现的行为技能，包括交往的技能、倾听交谈的技能、非言语交往技能、辨别和表达自己情感的技能，如合作、轮流、遵守规则、解决冲突等技能。

三、社会性发展的特征

社会性发展具有系统性、制约性、主动性、连续性等特征。

① 范丹红．心理学（小学）[M]．北京：北京大学出版社，2018：113.

（一）系统性

社会性发展的系统性是指社会性某一方面的发展会影响到其他方面的发展。比如，社会认知发展较好的人，能够客观地认识自己和社会，表现出积极的情绪情感和良好的道德品质；相反，则在社会交往中容易受到排斥，从而影响人际关系的发展。

（二）制约性

社会性发展是个体在与社会环境相互作用下，认识和了解社会关系及规范，形成社会交往意识，掌握社会交往的能力，并逐渐适应社会生活的发展过程。因此，社会性发展受个体所处的社会环境和社会文化的制约。

（三）主动性

社会性发展是个体与社会积极互动的过程，个体处于主体地位。因此，在这个过程中，个体并不是无条件地、被动地接受他人与社会的影响，而是能够表现出一定主观能动性。比如，个体根据对社会价值规范、道德品质等的主动思考与理解，不断调整行为方式，积极适应社会的发展。

（四）连续性

个体社会性发展是通过接受教育和社会影响逐步实现的，是一个终身的历程，因此具有连续性。同时，个体的社会性发展在不同的年龄阶段有不同的发展任务和内容。比如，对于低年级的小学生而言，主要的发展任务是学会社会认知和社会交往，高年级小学生主要的发展任务则是社会情感的体验及社会适应能力的培养。

四、社会性发展的功能

在个体的心理发展中，认知发展和社会性发展是两大重要的领域。认知发展直接影响个体获得知识、解决问题能力的发展，社会性发展则主要表现为个体的社会交往能力的发展。社会性发展主要有以下两种功能：

（一）整合功能

社会性发展的整合功能主要体现在形成“共性”上，强调个体如何融入社会的过程。具体表现在两个方面：一是社会性发展是使个体从“自然人”变成“社会人”的过程；二是个体在社会化的过程中通过与他人的互动，提高社会认知能力，习得社会规范及社会交往技能，建立与社会一致的价值观念与行为方式。社会性发展的这种整合功能有利于提高个体有效参与社会的能力。

（二）分化功能

社会性发展的分化功能侧重发展“个性”，强调个体在社会互动中逐渐发展自我概念，健全个性发展。个性是在个体所处的社会文化背景下发展起来的，因此，个体的个性发展，如需要、动机、理想、信念及价值观的发展要与社会的要求协调一致，在社会允许的范围内形成自己独特的个性特征。

社会性发展的这两种功能通过相互作用、相互影响，共同促进个体心理发展。借助整合功能，个体能够顺利地实现社会化，如果这种功能不完善将会导致个体的人际冲突，甚至出现反社会行为。通过分化功能，个体获得自我发展、实现自我价值，可以促进社会的发展。

第二节　小学儿童自我意识的发展

自我意识是人类特有的认识，是人类意识的最高级形式。小学生如何通过自我观察来合理分析、评价自己，如何产生积极、肯定的自我体验，如何通过自我监控规范自己的言行，都有赖于其自我意识的发展。

一、自我意识概述

（一）自我意识的概念

自我意识是对自己存在的觉察，即自己认识自己的一切，包括认识自己的生理状况（如身高、体重等）、心理特征（如兴趣、爱好、能力、性格、气质等）以及自己与他人的关系（如自己与周围人们相处的关系、自己在集体中的位置与作用等）。总之，自我意识是人对自己身心状态及对自己同客观世界的关系的认识、体验和控制①。

（二）自我意识的结构

从形式上来看，自我意识是由自我认识、自我体验和自我控制三种心理成分构成的。这三种心理成分相互联系、相互制约，统一于个体的自我意识之中。自我认知是指个体对自己身心特征和活动状态的认知和评价，表现为自我概念、自我评价、自我分析等；自我体验是指个体对自己所持有的一种态度，一般表现为自尊感、自卑感、责任感、义务感、羞耻感和优越感等；自我控制是指个体对自己思想、情感和行为的调节和控制，表现为自立、自主、自强、自我控制、自我完善等②。

从内容上看，自我意识由物质自我、社会自我和心理自我构成。物质自我是个体对自己的所有物的认识，比如对衣物、家庭及个人财产的认识与评价。

---

① 周宁．小学儿童心理发展与教育[M]．合肥：安徽教育出版社，2014：82.

② 翟媛媛，徐红．小学儿童发展心理学[M]．济南：山东人民出版社，2014：268.

社会自我是指个体对自己在人际交往中所承担的角色、权利、义务的认识以及对自己在群体中的地位、声望和价值等的评价。心理自我即精神自我，是指个体对自己的智力、情感与人格特征以及所持有的价值取向和宗教信仰等的认识和评价。

二、小学儿童自我意识的发展特点

小学儿童的自我意识是不断发展的，但不是直线的、匀速的，既有上升的时期，又有平稳发展的时期。

（一）小学儿童自我意识发展的总体特点

心理学家朱智贤认为，儿童自我意识的发展经过三个时期：自我中心期（8 个月～3 岁），是自我意识的最原始状态，称生理自我；客观化时期（3 岁～青春期），是获得社会自我的时期，在这一阶段，个体显著地受社会文化的影响，是学习社会角色最为重要的时期；主观自我时期（青春期～成人期），自我意识趋于成熟，进入心理自我时期。小学阶段正处于自我意识发展的客观化时期，研究表明，随着年级的增长，小学儿童的自我意识表现出如下特点①：

第一，小学低年级阶段，儿童关于自我的认识处于上升时期，尤其以一年级到二年级的上升幅度最大。这是因为学校的学习生活加强了儿童对自己的认识，如考试成绩的高低、教师对儿童的评定、同伴地位等都会使儿童从不同角度对自己有了新的认识。另外，学习活动对儿童的自我监督、自我调节和自我控制等能力有了更进一步的要求，从而促使儿童的自我意识有了很大的发展。

第二，小学三年级到小学五年级处于平稳阶段，五年级到六年级处于第二个上升期。在小学中年级，儿童的抽象逻辑思维逐渐发展起来，其辩证思维也初步发展起来，这就促使儿童的自我意识更加深刻。他们能够逐渐摆脱对外部控制的依赖，开始以内部的行为准则来监督、调节和控制自己的行为，对自己的认识也由表面行为的认识、评价转向对自己内部品质的更深入的评价，这就使得小学儿童自我意识的发展达到一个新的水平。

阅读专栏 7－1：小学儿童的自我描述

我是某某，是一名二年级的小学生。我的个子不高，但眼睛很大，我很喜欢交朋友、喜欢游泳、喜欢玩游戏。时间过得可真快，转眼间，我已经是二年级的小学生了，再过几个月，我就要上三年级了。我喜欢我的老师，也喜欢我的同学们。我喜欢语文课、数学课，更喜欢信息课。我觉得我们的吴

① 黄月胜．小学儿童心理学[M]．北京：北京师范大学出版社，2013：150.

老师特别幽默，总能让我们哈哈大笑。当然，她严肃起来，我可是一点儿都不敢吭声。至于我特别喜欢信息课的原因是因为上课时我可以玩电脑。有一段时间，我特别想当信息课的课代表，可是，由于没有写竞选宣言，没有竞选资格，现在只能在梦里当课代表了。

我是某某，11 岁，上小学五年级。我在班上有许多“朋友”，我关心、体贴她们，但她们没有一个人能够真正走进我的内心。我很喜爱小动物，尤其是波斯猫。我是个懒女孩，但反应很快。我很喜欢画画，画中有我的世界。我虽然算不上非常美丽，但至少还算好看。我在班上当过文艺委员和板报编辑，不过后来被班主任辞掉了，这是我第一次也是最后一次当班干部。我喜欢上网，但只喜欢像抹香鲸一样地“潜水”，不喜欢上来冒泡。

资料来源：付建中，董存梅，姚春．儿童心理学[M]. 北京：北京师范大学出版社，2016：147.

（二）小学儿童自我意识各成分的发展特点

随着年龄的增长，认识能力的提高，小学生的自我评价、自我体验和自我控制都表现出较大的发展。

1. 自我评价的发展特点

自我意识的主要成分是自我认识，而自我认识的核心又是自我评价。所以，自我评价能力既是自我意识的主要成分，又是自我意识发展水平的主要标志。小学儿童自我评价的发展特点主要表现在以下几个方面：

（1）自我评价的独立性日益增长。小学低年级儿童的自我评价在很大程度上仍然依附于教师和父母的评价，用他人的眼光来看待自己。从小学三、四年级开始，儿童逐渐从顺从他人的评价发展到有一定独立见解的评价，自我评价的自觉性和独立性有了明显的发展。

（2）自我评价的全面性日益提高。自我评价的全面性是指评价的广度和深度，它是相对于片面性和表面性而言的。小学低年级儿童的自我评价常常是片面的和表面的，他们往往善于评价别人，但不善于评价自己；在评价自己的行为时，更多地只看到自己的优点，但看不到自己的缺点，而且这种评价更多的是表面的，只局限于对一些具体行为的评价上。随着抽象逻辑思维和道德认知的进一步发展，小学中、高年级儿童自我评价的全面性和深刻性有了一定程度的发展，他们能够从比较笼统的评价发展到对自己个别方面或多方面行为的优缺点进行评价，并表现出对内心品质进行评价的初步倾向。

（3）自我评价的稳定性逐渐加强。自我评价的稳定性是指自我评价保持时间的长短，即前后两次自我评价的一致性程度，它是相对于易变性而言的。研究过程中，让被试在一周前、后对有关自我评价的五个问题做两次选择，并计算答案的一致性。研究结果表明，小学低年级儿童的自我评价能力还比较弱，前后两次评价的一致性很低，但小学高年级儿童前后两次评价的一致性逐步增高。这表明小学儿童自我评价的稳定性随着自我评价能力的增强而增强。小学儿童自我评价稳定性的发展是与其掌握自我评价的原则水平的高低联系在一起的。总的来说，儿童自我评价的稳定程度在整个小学阶段仍然是不高的，到了初中三年级以后才趋于稳定。

2. 自我体验的发展特点

自我体验的发展始于学前期，根据中国心理学工作者的调查，约在 4 周岁左右。学前儿童对社会情感的自我体验随年龄增长而逐渐丰富，并有一定的顺序性，其中愉快感和愤怒感发展较早，自尊感、羞愧感和委屈感发生较晚。在小学阶段，儿童对社会情感与自我认识的发展是比较一致的，都具有较高水平的发展速度。但是到小学六年级以后，儿童的自我情感发展的速度则缓慢下降，到高中至大学阶段，自我情感的发展水平才逐渐趋于稳定。研究发现，儿童自身的外表、学习的成绩、家庭背景、同伴关系的状况等都会对其自我体验产生影响①。

学 以 致 用

一天，黄老师要求学生背诵课文。才过了五六分钟，几个成绩比较优秀的学生就来找老师背诵，并得到了老师表扬。这时，小伟也要求背诵，几个同学听了哈哈大笑。因为小伟有智力缺陷，思维缓慢、说话不流畅，普通孩子用几秒钟可以说完的一句话，他却需要一二分钟才能讲清楚。黄老师望着小伟涨红的脸，微笑着说："好的，小伟，你来背，不着急，慢慢来。"小伟用他特有的发音，一字一句地背诵起来。5 分钟过去了，小伟一字不差地背完了，黄老师激动地竖起大拇指说："小伟，你真棒!"教室里面响起了热烈的掌声，小伟的脸上露出了灿烂的笑容。

思考：黄老师的做法对小伟的自我体验有何积极影响?

3. 小学生自我调控的发展

自我调节和自我控制是自我调控的两个方面。自我调节指的是没有外部指导或监视下，个体维持其行为历程以达到某一特定目的的过程；自我控制指的是目标受阻时，个体抑制其行为或改变行为发生的能力。

---

① 燕国材．教育心理十题[M]．北京：中国建材工业出版社，2001：160.

我国心理学工作者的研究发现，5～6 岁的大多数儿童具有一定的自我控制能力。儿童自我控制和自我调节能力发生的时间与其社会规则的价值内化和调控技能的获得有关。随着年龄的增长，这两者均会在不同程度上得到发展，因此，儿童的自我调控水平也相应地会获得提高。

小学儿童的自我控制有两种情况，一种是控制不足；另一种是控制过度。控制不足的小学儿童不能忍受任何形式的拒绝或延迟满足，一旦遭遇拒绝或需要得不到满足的情况，则表现出攻击性行为或大发脾气；控制过度的小学儿童往往表现为压抑、顺从、兴趣狭窄等，这主要与小学儿童生活的环境有关。

三、小学儿童自我意识的培养

自我意识的形成和发展是个体个性得以发展的基础，对健全人格的形成有重要的调节作用。良好的自我意识，在自我认识方面，应该体现出全面、深刻、准确的特征；在自我体验方面应该体现出丰富、积极、健康、稳定的特征；在自我控制方面，应该体现出可控、灵活的特征。

1. 小学儿童自我评价能力的培养

积极的自我评价有利于小学儿童的心理健康和良好社会性的发展。小学教师要从以下两方面来培养儿童的自我评价能力：

（1）创设情境，使儿童获得成功的体验。成功的体验是儿童获得积极自我评价的基础。首先，教师可以给儿童确立一个“跳一跳、够得着”的目标，培养儿童积极的自我效能感。其次，教师应努力发掘儿童身上的闪光点。最后，教师要为每个学生提供均等的机会来发展自己的潜在能力，使每位学生在自己的起点上取得进步，获得成功体验，从而建立自信。

（2）教师应对小学儿童做出积极评价。小学儿童对自己的看法容易受生活中的重要他人（尤其是教师）态度的影响，教师的积极评价是小学儿童积极自我评价的基础。因此，教师要给予学生正确而积极的评价，学会全面地、发展地看待学生，善于挖掘学生的潜能。同时，教师要建立多维评价体系，全面地、发展地评价学生，肯定学生的优势和努力，而不是一味地以分数论高低，教师可以建立学生档案，把每个学生现在的和过去的成绩进行比较，只要与过去相比有进步就给予肯定，这样有助于学生形成更为客观的、动态的评价。

2. 小学儿童自尊的培养

小学生自尊的发展离不开家庭的正确养育与指导。小学生的自我尚未得到充分发展，较易受到重要他人言行的影响，父、母亲对小学生的惩罚、斥责或贬低等可能会导致小学生自我价值感的降低，产生自卑感，不利于其自尊的发展。因此，家庭要为孩子创设一个宽松、安全、愉快、和谐的家庭氛围，采取理解、宽松、温暖的教养方式，多给孩子关心、鼓励、支持、包容。

学 以 致 用

萱宣和林林是龙凤胎，姐弟二人就读于某小学三年级，并且是同班同学。每天上学和放学两人都在一起，他们既是姐弟也是朋友。两人虽是亲姐弟，但两个人却有很大的不同之处。姐姐乖巧懂事，学习成绩优秀；弟弟顽皮好玩，学习成绩较差。姐姐还担任班长，帮助老师为大家服务；而弟弟却被定义为"问题学生"。父母经常表扬姐姐，很少夸弟弟，因为弟弟总是给他们带来各种各样的麻烦。

正值暑假，电视剧中正在热播《三国演义》，林林很感兴趣，观看之后，还饶有兴致地给身边的小朋友讲个没完没了，林林的认知记忆能力也在观后讲解的过程中得到了很好的锻炼和提高。可是，爸爸妈妈并不认可他这种行为，经常批评他说："整天就知道看电视，要是看书学习这么用功的话，早就得到奖状了。"同样的一幕出现在了姐姐身上的时候，爸爸却说："要向你姐姐学习，你姐姐把电视节目的细节都能记住，可见她的记忆力多好，怪不得学习成绩好。"

思考：案例中爸爸的做法会带来什么样的结果？你认为爸爸妥当的做法是什么？

在学校生活中，教师要帮助小学生建立合理的期望目标，通过适合的活动让小学生获得成功体验，使小学生建立正确的自我认识。教师要引导小学生掌握合理的成败归因和应对困难的积极策略，建立成功与勤奋之间的明确联系，用乐观的态度应对困难，从而提升自尊水平。

3. 小学生自我控制能力的培养

小学生的自我控制能力发展受大脑皮层皮质抑制机能发展水平、父母控制儿童的模式、儿童自我言语指导和成人言语指导、社会模仿等因素的影响。培养良好的自我控制能力，对小学生提升学习成绩、约束冲动、抑制攻击行为，形成良好的个性品质非常重要。

培养小学生的自我控制能力，教师要做到以下几点：首先，了解小学生自我控制的结构，确定小学生自我控制的培养目标、进度计划和路径。其次，教师要抓住小学生自我控制发展的关键期，注意小学生在自我控制发展上的性别差异，有针对性地进行培养。再次，教师要适度提升小学生的动机水平，降低压力或紧张水平，挖掘影响自我控制能力的深层因素。再次，教师还可以鼓励家长多渠道参与小学生的成长，良好的家校合作是小学生成长成才的保证。最后，如果小学生出现较为严重的控制不足或者控制过度表现，也可以求助于专业的心理咨询与辅导机构。

第三节　小学儿童人际关系的发展

小学阶段是人际关系形成的重要阶段。对小学生而言，由亲子关系、同伴关系以及师生关系所构成的社会交往体系对他们的发展产生非常重要的影响。

一、亲子关系

亲子关系是影响儿童心理发展的最重要的人际关系。良好的亲子关系有助于儿童形成对自己、父母、他人、世界的信任感，发展积极的探索能力，为儿童人格和社会性的发展奠定良好的基础；不良的亲子关系则会导致儿童在人际关系、情绪生活及社会生活适应上出现困难。

（一）亲子关系的含义及教育意义

亲子关系是儿童与父母之间建立的一种人际关系。它是在家庭生活中逐渐形成并发展起来的。亲子关系是小学生社会关系中出现最早、持续时间最长的一种人际关系，与同伴关系和师生关系相比，它更具稳定性。

亲子关系的情感基础是依恋。依恋促进了父母与儿童之间的亲密性和接近性。安全型依恋关系一旦形成，儿童就会以各种方式发起与依恋对象的互动，如经常接触他们，渴望与依恋对象一起玩乐、做游戏。更为重要的是，依恋对象能为儿童提供一种安全感，与依恋对象在一起时情感上表现出更大的宽慰，更愉悦和轻松。

英国精神病学家鲍尔比（J. Bowlby）在长期的研究中发现，在孤儿院长大的儿童，经常表现出各种各样的情绪障碍问题，包括不能和别人建立亲密持久的人际关系。在鲍尔比看来，这些儿童似乎不爱别人，因为在早期生活中，他们失去了对一个母亲形象形成牢固的依恋关系的机会。鲍尔比在一系列调查研究之后，总结出这样一个结论，在个体发展过程中，与亲近的人分离都在不同程度上带来情绪上的问题，早期生活中的母子分离会给儿童的心理健康带来极大的危害，母子联结的破裂或未建立正常依恋，不仅会使儿童在儿童期出现种种情绪障碍，不能很好地与人相处，而且将影响他整个人生的顺利发展，尤其在人际关系、情绪状态以及社会生活适应上将造成难以弥补的损失。

阅读专栏 7-2：恒河猴恋母实验

20 世纪 50 年代末，美国威斯康星大学动物心理学家哈里·哈洛做了一系列实验，将刚出生的小猴子和猴妈妈及同类隔离开，一些小猴子与母猴分开喂养后，虽然身体上没有什么疾病，可行为上却出现了一系列不正常现象。同时，观察发现，小猴子对盖在笼子地板上的绒布产生了极大的依恋。它们躺在上面，用自己的小爪子紧紧地抓着绒布，如果把绒布拿走的话，它们就会发脾气，这就像人类的婴儿喜欢破毯子和填充熊玩具。

后来，哈洛和他的同事们做了著名的恒河猴代母养育实验，他们把一只刚出生的婴猴放进一个隔离的笼子中养育，并用两个假猴子替代真母猴。这两个代母猴分别是用铁丝和绒布做的，实验者在“铁丝母猴”胸前特别安置了一个可以提供奶水的橡皮奶头。按哈洛的说法就是“一个是柔软、温暖的母亲，一个是有着无限耐心、可以 24 小时提供奶水的母亲”。刚开始，婴猴多围着“铁丝母猴”，但没过几天，令人惊讶的事情就发生了：婴猴只在饥饿的时候才到“铁丝母猴”那里喝几口奶水，其他更多的时候都是与“绒布母猴”待在一起；婴猴在遭到不熟悉的物体，如一只木制的大蜘蛛的威胁时，会跑到“绒布母猴”身边并紧紧抱住它，似乎“绒布母猴”会给婴猴更多的安全感。

哈洛从这个“代母养育实验”中观察到了一些问题：那些由“绒布母猴”抚养大的猴子不能和其他猴子一起玩耍，性格极其孤僻，甚至性成熟后不能进行交配。于是，哈洛对实验进行了改进，为婴猴制作了一个可以摇摆的“绒布母猴”，并保证它每天都会有一个半小时的时间和真正的猴子在一起玩耍。改进后的实验表明，这样哺育大的猴子基本上能够发展出正常的交往模式。

资料来源：［美］理查德·格里格．心理学与生活[M]. 北京：人民邮电出版社，2005：309-310.

（二）小学儿童的亲子关系

随着小学儿童独立性的增强，他们对家人的依恋逐渐减弱。亲子关系在形式和内容上都发生了一些变化。从形式上看，儿童和父母交往的时间减少，父母对他们的关注也日益减少，儿童和父母的交流更多地依靠语言，与父母的身体接触逐渐减少；从内容上看，父母从以关注儿童生活为主转为以关注儿童学习为主，从以抚育为主转为以教育为主。父母对儿童的控制力量也在变化。研究表明，随着年龄的增长，儿童越来越多地自己做出决策。

麦克斯白提出一个亲子关系发生变化的三阶段模式。

第一阶段，父母控制（6 岁以前），大部分重要决定由父母做出。

第二阶段，共同控制（6～12 岁），父母主要有三个主要的职责：在一定距离内监督和引导儿童的行为；有效地利用与儿童直接交流的时间；加强儿童的自我监督行为和教儿童知道何时寻求父母的指导。

第三阶段，儿童控制（12 岁以上），儿童自己做出更多的重要决定。

小学儿童与父母的关系处在共同控制阶段。小学儿童的人际交往逐渐丰富起来，与同伴的交往也明显增多，与父母的关系从依赖开始走向自主，从对成人权威的完全信服到开始表现富有批判性的怀疑和思考，但小学儿童与父母仍然保持着亲密的关系，他们对父母仍然怀有深厚的依恋的感情。

学 以 致 用

黄同学在小学二年级时出于好奇偷了一块电子手表，之后受到母亲的打骂，他认识到了错误并进行改正。在此事件后，黄同学的母亲仍揪住此事不放，一旦黄同学稍有不对，就拿这件事来讽刺他，还在左邻右舍前令他难堪。因此，黄同学害怕母亲，在心里有些恨妈妈，但从不顶撞，因为黄同学不想让妈妈伤心，在家的言行举止都很小心翼翼，稍有不对就会遭到白眼和辱骂。于是，他很害怕回家。他还觉得母亲并不爱他，他对这个家充满了厌倦，认为自己是这个家庭中多余的一员。因此，他无时无刻不想逃离这个家。黄同学对家庭的害怕影响了他在学校的正常生活，尽管换了环境，可他内心还是有不可跨越的一道心理障碍。

思考：如果你是该同学的班主任老师，你会如何帮助这个孩子及其父母？

二、同伴关系

同伴是指儿童与之相处的具有相同或相近社会认知能力的人。年龄相同或相近的儿童，由某种共同活动引发并在活动中体现出相互协作的关系，就构成了儿童的同伴关系。

（一）同伴关系的含义及作用

1. 同伴关系的含义

同伴关系是年龄相同或相近儿童之间的一种共同活动并相互协作的关系，是同龄人间或心理发展水平相当的个体间在交往过程中建立和发展起来的一种人际关系[①]。

① 陈威．小学儿童心理学[M]．北京：中国人民大学出版社，2016：268.

2. 同伴关系的作用

大量研究表明，同伴关系有利于儿童社会价值的获得、社会能力的培养以及认知和健康人格的发展。

第一，同伴可以满足儿童归属和爱的需要以及尊重的需要。儿童在集体中被同伴接纳并建立友谊，受到同伴的赞许和尊重而产生归属感和被尊重感，这有益于儿童的发展。

第二，同伴交往为儿童提供了学习他人反应的机会。儿童在与同伴交往中学习如何与他人建立良好关系、保持友谊和解决冲突，怎样对待领导与被领导的关系，怎样对待竞争与合作，怎样处理个人与小团体的关系。

第三，同伴是儿童特殊的信息渠道和参照框架。例如，儿童常从同伴那里获得一些不便或不能从成人那里得到的知识和信息。在同伴交往中发生冲突时，儿童考虑到同伴提供的信息和团体规范，从而会提高儿童的社会认知能力。另外，儿童自我概念的形成也得益于同伴集体。同伴既可以给儿童提供关于自我的信息，又可以作为儿童与他人比较的对象。儿童在将自己与同伴比较的过程中形成对自我的评价。

第四，同伴还是儿童得到情感支持的一个来源。安娜·弗洛伊德对于第二次世界大战中六个孤儿的调查表明，在缺乏成人照料的情况下，这些儿童发展出了类似亲子关系中的依恋模式。另外，当儿童面临陌生或恐怖情境时，同伴在场可以起到与父母同样的作用，消除紧张和压抑的情绪。

（二）同伴关系的评定与类型

研究者经常采用社会测量技术来评定儿童的同伴关系。社会测量技术是一种自我报告式的同伴关系评价技术，要求儿童自己来评价对同伴的喜欢程度[①]。主要包括两种方法：

1. 同伴关系的评定

（1）同伴提名。在一个社会群体中，如学校中的一个班，让每个孩子说出自己最喜欢与最不喜欢的同伴的姓名，如“你最喜欢和谁做朋友”“你最不喜欢和谁做朋友”。然后，根据每个孩子所获得的正向提名、负向提名的多少来对儿童的同伴关系特点进行分类。这种方法可以测出同伴地位的重要差异，但是由于有些儿童会突然遗忘了自己最喜欢的或不喜欢的人的名字，可能导致结果有欠准确。

（2）同伴评定。同伴评定与同伴提名不同的是，它要求儿童根据具体化的量表对同伴群体内其他全部成员逐一进行评定。如问儿童“你喜欢不

---

① 桑标．儿童发展心理学[M]．北京：高等教育出版社，2009：289.

喜欢和×××玩?”可以让儿童选择很喜欢、喜欢、一般、不喜欢等几个级别。

这种方法相对比较可靠，而且利用此方法获得的结果与实际同伴交往情况，以及同伴观察获得的数据之间有较高的相关性。但是这种方法可能涉及一些个人隐私等道德问题，即让被试评价自己身边的人，被试可能会感到不舒服。

2. 同伴关系的类型

根据上述评定儿童同伴关系的方法，一般可以将儿童的同伴关系分为五类：

一是受同伴欢迎的儿童，受到同伴正向的提名较多。这类儿童具有较高的、积极的社会技能，往往比较敏感、友好、合作、有自己的观点。

二是被拒斥儿童，受到同伴的负向提名较多。被拒斥儿童与受同伴欢迎的儿童完全相反，表现出许多消极的社会行为。被拒斥儿童又分为被拒斥攻击性儿童和被拒斥退缩儿童，这两个子类型的儿童也有不同的社会行为表现，大部分被拒斥儿童属于被拒斥攻击性儿童。被拒斥攻击性儿童有严重的行为问题，对他人充满敌意，经常与同伴发生冲突。他们的自控能力较差，行为比较冲动，不能很好地控制自己的情绪，这类儿童往往误解同伴的行为，经常将同伴的普通行为视为敌意的表示。被拒斥退缩儿童较少，他们的行为比较消极，具有明显的社会退缩倾向。由于这类儿童性格软弱，朋友较少，因此很容易成为同伴欺负的对象。

三是矛盾的儿童，又称为有争议的儿童，他们的正向提名和负向提名都较多。有争议儿童的社会行为既有积极的成分，又有消极的成分。他们可能有被拒斥儿童的攻击行为，也可能有受同伴欢迎的亲社会行为。这类儿童的社会身份会随着时间和环境的变化而发生较大的变化。

四是被忽视的儿童，不管是正向提名还是负向提名都很少。被忽视的儿童由于和同伴的互动较少，常常被认为比较害羞。但是与被拒斥儿童不同，这类儿童并没有太多的社会焦虑，也不会因自己没有朋友而感到不开心。相反，当他们需要朋友时，他们会较快地投入同伴活动中，建立起良好的社会关系。

五是一般的儿童。在幼儿园和小学中，大约有 2/3 的儿童可以被划分到上述四种典型的类型中，剩余的约 1/3 的儿童则属于一般的儿童。

以上五类儿童中，对受欢迎的、被忽视的、被拒斥儿童研究得最多。同伴接纳可以有效地预测当前和未来的心理适应。被拒斥儿童一般情绪都比较低落、有很强的孤独感，并且自尊水平较低。在老师和同学眼中，被拒斥儿童往往被认为具有较多的社会和情感问题。被拒斥儿童入学后，学业成绩往往比较差，青少年期出现反社会行为和犯罪倾向的概率较高。

（三）同伴关系的影响因素

儿童在同伴交往中的行为特征、自身的性格特点、学习成绩、生理特征等因素是影响其同伴关系的主要因素。

1. 行为特征

儿童的行为特征是其同伴关系的主要决定因素。研究发现，那些受同伴欢迎的儿童一般都具有外向的、友好的人格特征，擅长双向交往和群体交往，在活动中没有明显的攻击性行为，而被拒绝的儿童在同伴交往中经常表现出许多攻击性甚至是反社会行为，被忽视的儿童在同伴交往中的行为是害羞的、逃避的。

2. 性格特征

良好的性格特征，如幽默风趣、热情开朗、真诚坦率、富有同情心等也是吸引同伴的重要因素之一。

3. 学习成绩

学习成绩好的儿童容易被同伴接纳，学习成绩差的儿童则容易被同伴拒绝。有人对成绩差且被同伴拒绝的四年级儿童进行学习能力训练，结果发现这种做法不仅改善了儿童的阅读和数学成绩，而且也改善了他们的社交地位。训练结束时，那些原本被拒绝的儿童已经开始得到同伴的接纳。

4. 生理特征

外表具有吸引力的儿童容易受到成人和同伴的喜爱。斯塔菲耶里在 6～10 岁儿童面前出示瘦长型、肥胖型和健壮型的人体画像，先让儿童选出他们喜爱的体格；再给他们一个形容词表，要求他们选出适合每种体格的形容词。结果表明，儿童不仅偏爱健壮型的体格，也给予这种体格较正面的形容词，如勇敢、强壮、乐于助人；儿童不太喜欢瘦长型、肥胖型的人物，因此也使用了更为消极的形容词来形容他们。在学校里，健壮型的儿童最受欢迎，而肥胖型儿童最不受欢迎。所以，儿童的肥胖问题不仅是健康问题，而且还关系到他们在学校中能否适应良好。

5. 教师的影响

在小学阶段，尤其是低年级阶段，被教师喜欢的儿童往往也会被同伴所喜欢，教师不喜欢的儿童往往也是同伴不喜欢的儿童。儿童在教师心目中的地位会影响到该儿童在同伴中的地位。

（四）小学儿童同伴关系的发展

儿童的同伴关系是通过相互作用的过程表现出来的。与成人的交往不同，同伴交往更加平等、互惠和自由。这种新型的人际关系为儿童的社会性发展提供了全新的体验和探索，从而更有利于其社会交际能力和社会判断力的发展。

1. 小学儿童同伴团体的发展

同伴团体是指一些在年龄、身体、社会地位等方面较为接近的儿童所组成的群体。同伴团体的形成基础是同伴之间平等的地位，并且拥有共同的兴趣、爱好等。同伴团体具有以下几个特点：在一定的规则基础上进行相互交往；限制其成员对其他团体的归属感；具有明确或隐含的行为标准；为完成共同目标而一起工作的组织。

儿童同伴团体的形式是多样的，可能结构松散，也可能有组织、结构严谨，一般可分为两大类，即有组织的团体和自发的团体。

对小学生而言，有组织的团体即班集体，刚入学的儿童，还没有真正意义上的班集体观念和意识。一年级下学期，初步形成了集体观念和集体意识。二年级的儿童已经能够明确地意识到自己是班集体中的一员，能够逐步把集体的需要转化为自己的需要，把班集体的荣誉当作自己的荣誉，服从集体的要求。与此同时，班集体内部成员的适应能力也逐渐分化，一部分各方面表现较好的儿童开始崭露头角，成为班集体的骨干和积极分子，另一部分儿童则成为班集体的普通成员。到了中、高年级，班集体的组织形式日益巩固和加强，儿童的集体意识日益提高，初步懂得了集体利益与个人利益的关系，并能自觉服从集体的要求，维护集体的利益。

自发的团体组织结构通常是松散的，性质亦比较复杂，可能是班集体的补充，也可能是班集体的对立面。小学生的自发团体可分为三类：一是亲社会团体，即被学习或社会肯定的团体，如学雷锋小组、志愿者团队；二是非社会团体，是建立在共同爱好、娱乐活动基础上的团体，如书法兴趣小组；三是反社会团体，即不被社会所接纳或对社会具有危害作用的团体，如盗窃团伙。

阅读专栏 7－3：小学儿童同伴团体形成和发展的过程

日本心理学家广田君美研究了小学儿童同伴团体的形成和发展过程，把小学儿童同伴团体形成和发展的过程分为以下五个时期。

（1）孤立期（一年级上半学期）。儿童之间还没有形成一定的团体，各自正在探索与谁交朋友。

（2）水平分化期（一至二年级）。处于该时期的儿童由于空间的接近，如同桌座位接近、上学同路等自然因素建立起一定的联系。

（3）垂直分化期（二至三年级）。由于儿童学习水平和身体能力的高低，分化出属于支配地位的和被支配地位的儿童。

（4）部分团体形成期（三至五年级）。儿童之间分化并形成了若干个小集团，出现了统率小集团或班级的领袖人物，团体成员的团体意识加强，并出现了制约团体成员的行为规范。

(5) 集体合并期（五年级以后）。各个小集体之间出现了联合，形成了大团体，并出现了统率全年级的领袖人物。

资料来源：沈德立．发展与教育心理学[M]. 沈阳：辽宁大学出版社，1999：176.

2. 小学儿童友谊的发展

小学儿童在与同伴的交往过程中，逐渐与一个或多个同伴形成较为稳定的、亲密的关系。这种发生在两个人之间的一种较为稳定的、双向的，以相互信任和喜爱为基础的亲密情感关系就是友谊。友谊提供了儿童相互学习社会技能、自我控制以及体验情绪和进行认识活动的机会，并能够为儿童提供情感支持，消除儿童的孤独感，提高儿童的自尊，为以后的人际关系奠定基础。美国著名儿童心理学家塞尔曼（Selman）认为儿童友谊的发展有五个阶段①。

第一阶段（3～7 岁），尚不稳定的友谊关系阶段。儿童还没有形成友谊的概念，儿童间的关系还不能称为友谊，而只是短暂的游戏同伴关系。对这个阶段的儿童来说，朋友往往与实利、物质属性以及时空上的接近相关联。这一阶段的儿童认为朋友就是与自己一起玩的人，与自己住在一起的人。

第二阶段（4～9 岁），单向帮助阶段。这个阶段的儿童要求朋友能够服从自己的愿望和要求。如果顺从自己就是朋友，否则就不是朋友。

第三阶段（6～12 岁），双向帮助阶段。这个阶段的儿童能互相帮助，但还不能共患难。儿童对友谊的交互性有了一定了解，但仍具有明显的功利性特点。

第四阶段（9～15 岁），亲密的共享阶段。儿童发展了朋友的概念，认为朋友之间是可以相互分享、相互信任、相互忠诚、同甘共苦的。他们开始从品质方面来描述朋友，认为自己与朋友的共同兴趣是友谊的基础。儿童的友谊开始具有一定的稳定性，朋友之间可以倾诉秘密，讨论并制定计划，遇到困难时互相帮助，但这一阶段的友谊有强烈的排他性和独占性。

第五阶段（15 岁以后），自主的共存阶段。这是友谊发展的最高阶段。它以双方互相提供心理支持和精神力量、互相获得自我的身份为特征。由于择友更加严格，所以建立起来的朋友关系持续时间都比较长。

小学低年级儿童只是根据一些表面的行为和关系来定义朋友，认为朋友就是住得较近、有好玩的玩具、喜欢与自己一起玩、玩自己喜欢的游戏的同伴。到了小学四、五年级，儿童慢慢开始将友谊视为相互关心、互享情感、互相安慰的内在关系，认为朋友就是互相支持、互相忠诚、合作、彼此不打架。五年

① 周宁．小学儿童心理发展与教育[M]. 合肥：安徽教育出版社，2014：103.

级以后，儿童将友谊看成是可以进行自我表露和倾吐彼此秘密的特殊同伴关系，朋友就是有共同兴趣、互相了解、互相透露个人小秘密的人。

总体而言，在小学阶段，儿童更喜欢选择同性而不是异性朋友。因为在小学儿童看来，同性朋友可以分享共同的兴趣，并从中获得快乐。此外，女性好朋友比男性好朋友更注重人际关系，因而也更愿意分享彼此的秘密，而男性好朋友之间则更看重活动本身及其成就。

（五）小学儿童人际交往常见问题

相对于成人而言，小学儿童的人际关系较为简单和单纯。但在与教师、家长，特别是在与同伴的交往中，有些儿童会表现出以下问题：

1. 人际孤独

孤独感是指因离群索居而产生的一种无依无靠、孤单烦闷的不愉快的情绪体验。人际孤独是指在人际交往过程中因交往障碍而带来的孤独体验。小学儿童的人际孤独往往表现在与同学交往不主动，退缩、孤立。

导致小学儿童人际孤独的因素很多，例如陌生或突变的环境如搬家或转学，小学儿童的自我意识增强以及自我评价不当等都会导致儿童产生人际孤独。另外，情绪情感障碍如害羞、恐惧、愤怒、嫉妒等，这些也都会妨碍人际间的正常交往，使儿童产生逃避行为，封闭自我，产生孤独感。

阅读专栏 7－4：幸福的秘密

哈佛大学进行了一项调查，从一个人的少年时代开始一直研究到他步入晚年。在 75 年里，调查跟踪了 724 个人的一生。他们把这些人分成了两组。一组是优秀的大学生，另一组是贫穷的小男孩。这些人长大后，有的很富有，有的依旧很贫穷。每个人的职位高低不同，医生，律师，工人等。研究结果显示，幸福的人生都有一个共同点，就是善于交际，人际关系处理得很好。

2. 自我中心

自我中心的儿童在与人交往的过程中，总是以自己的需要和兴趣为中心，只关心自己的利益得失，常常以自己的经验去认识和解决问题、固执己见，不容易改变自己的态度，盲目地坚持自己的意见。具有自我中心特征的儿童，在交往中常常有以下几种表现：很少关心别人，与他人关系疏远；唯我独尊，无论在观念上还是行动上都无理地要求别人服从自己；自尊心过强，过度防卫，有明显的嫉妒心。以自我为中心的小学生无法站在别人的立场思考问题，很难与同学和睦相处，往往会使自己走向孤立无援的地步，使别人敬而远之。

3. 攻击与欺凌行为

攻击行为是指一种意图伤害他人的行为，包括工具性攻击和敌意性攻击。

前者是指儿童为了某个物品而做出抢夺、推搡等动作，攻击只是手段，目的是获得某种利益，如争抢东西；后者是以人为指向的攻击，其根本目的是打击、伤害他人，使他人感到痛苦。儿童的攻击行为会随着年龄的增长而发生变化。一般来说，年龄较小的儿童的攻击性行为更多地为工具性攻击和身体攻击，年龄大的儿童多表现为敌意攻击、言语攻击。小学儿童由于社会认知能力的提高，攻击行为明显减少，但仍有儿童表现出明显的攻击行为。一般而言，男孩的攻击性行为多于女孩。

欺凌是儿童间经常发生的一种特殊类型的攻击行为，是有意识地造成他人身心伤害的行为。欺凌具有有意性、重复发生性、欺负者与被欺负者之间力量的不均衡性等特征。欺凌行为是儿童之间的普遍现象，随着年龄的增长，欺凌现象逐渐减少。

阅读专栏 7-5：校园欺凌

中国青少年研究中心 2015 年的调查结果显示，中小学生中经常受欺凌的占到 6.1%，偶尔受欺凌的占到 32.5%。校园欺凌易导致受欺凌学生形成消极的人格特征、学业适应困难甚至出现社会化障碍等问题，也会导致欺凌者形成不良人格、攻击倾向等。欺凌事件不仅给受害人的身心带来巨大创伤，更可能是导致青少年犯罪的重要因素之一。

挪威卑尔根大学心理学教授欧维斯认为对校园欺凌行为的界定应强调三个关键要素：①欺凌者有主观的恶意和攻击性；②欺凌者与被欺凌者力量不均衡；③恶意行为具有重复性。欧维斯认为，当一个学生重复、长期地遭受来自另一名学生或者学生群体的负面行为即为受到校园欺凌。校园欺凌是中小学生间发生的一种力量不均衡的特殊攻击性行为，通常表现为采取打、推、勒索、孤立、辱骂和嘲笑等方式有意地伤害别人，既包括身体的，也包括心理的。随着网络信息的发展，一种新的欺凌行为出现，即网络欺凌，即在网络情境下发生的欺凌，网络侮辱性语言与视频同样可以给受欺凌者造成心理上难以平复的伤害。

资料来源：纪艳婷，施长君．校园欺凌现状及预防策略[J]．教育教学论坛，2017（48）：70-71.

（六）小学儿童同伴交往能力的培养

小学儿童的同伴交往能力在很大程度上影响着他们成人以后的社会交往和对环境的适应能力。当前的小学儿童多为独生子女，由于缺乏同伴之间交往的经验，加之父母的过度保护和管束，很多儿童表现出孤僻、自私、自我中心、不合作等性格特征，阻碍了儿童与他人的正常交往，严重影响了儿童身心的健康发展。因此，有必要对其同伴交往能力进行有针对性地培养和指导。

1. 培养小学儿童良好的个性品质

小学儿童的个性品质是在遗传、家庭、学校和社会等因素的共同作用下形成的。其中，家庭教养方式在儿童个性形成和发展过程中起着重要作用。采取民主型教养方式的父母往往对儿童采取关爱、支持的态度，一方面尊重儿童，另一方面也对儿童提出一定规则限制，这样的儿童往往开朗、自信、尊重他人、善于理解别人，易受成人和同伴的喜欢；相反，高度专制的父母，要求儿童绝对服从，运用权力来指导和控制儿童，儿童没有任何自由和权利，这种教养方式下成长起来的儿童往往不合作、攻击性强，不受同伴欢迎。在过度保护和过度溺爱家庭中长大的儿童则羞怯、退缩、懦弱，独立活动能力弱，他们往往容易成为被欺负的对象。所以，家庭在儿童个性形成和发展过程中起着重要作用，父母要采取民主型教养方式，培养一个乐观、开朗、自信、尊重他人的儿童。学校教师也要尊重儿童、爱护儿童，帮助儿童建立一个和谐、健康的班集体，促进儿童良好个性的养成。同时，家长和学校要为儿童提供更多的交往机会，鼓励儿童主动交往。学校可以通过开办夏令营、野炊、郊游等集体活动，帮助儿童学会与别人和睦相处，提高人际沟通能力。

2. 进行社会交往技能训练

教师可以在学校有目的、有计划地开展人际沟通团体心理训练活动，帮助儿童学会参加游戏活动、分享、有效交流、关心和帮助同伴等基本社交技能，提高儿童的社会角色采择技能和社会问题解决能力。

3. 为学习成绩不佳的儿童提供学习技能训练

学习成绩不佳的儿童容易被同学拒绝，对于这些学生，可以通过提高他们的学习技能使他们提高对自我的评价，改善同伴交往地位。

三、师生关系

师生关系是师生间建立的一种多层次的立体结构模式，这种关系与亲子关系和同伴关系不同，由于社会角色的规定，它更多地体现为教育者和被教育者、领导者和被领导者之间的一种关系，并带有明显的教育性质。

（一）师生关系的含义

师生关系是指教师与学生在教育过程中为完成一定的教育任务，以“教”和“学”为中介，以情感、认知和行为交往为主要表现形式的一种特殊的社会关系和心理关系。

（二）师生关系的类型

勒温将教师的领导方式分为：专制型、民主型和放任型。

1. 专制型

专制型师生关系主要以严厉、疏远、权威、严肃等为主要特征。教师对班级中的活动都采取专制的作风，事事亲力亲为，承担全部的责任，对学生的所有活动严加监视，学生没有活动的自由，只能被动的服从命令，对教师敬而远之。因此，当教师在场管理时，学生能够高效学习，一旦缺乏教师的管理，学生就会出现明显的纪律松懈。

2. 民主型

民主型的师生关系以开放、平等、互动、交流等为主要特征。教师将一部分管理权力下放给学生，学生则行使这部分权力参与班级管理。在民主型的师生关系中，师生都较为重视集体的作用，对于班级事件能够共同计划、共同探讨，最终共同进步。这是一种教育效果较好的领导方式，无论老师在场与否，学生都能自觉进行自主管理。

3. 放任型

放任型的师生关系是以随意、自由、放纵、无序等为主要特征。在这种师生关系模式下，教师对于学生缺乏管理、不负责任，一切活动都由学生自主进行。因此，学生的规则意识差，合作学习或者自主学习的能力都比较弱，教育效果较低。

学 以 致 用

我们班的邱猛同学上英语课总是开小差，不守纪律，和同学交头接耳，我曾无数次批评他，但收效甚微，他仍然是我行我素，一不留神就又捣乱。因此，我决定改变方法，当他又一次捣乱时，我没有像原来那样批评他，而是心平气和地与他交谈“你认为你今天上英语课向同学扔纸条，对吗?”他说“不对”，“错在哪儿?”“上课应该认真听讲”。看来，在他的内心还知道对与错、是与非。后来，我发现他经常帮助同学们，对于有困难的同学，他总是乐于伸出双手，这是他的优点。我接下来又表扬他：“你是个很棒的学生，品质高尚，能乐于助人，同学们都很喜欢你，而且你很聪明，只要上课认真，一定会取得很好的成绩。”听完我的话，他很惊讶，他没有想到自己在老师的心目中还是个好孩子，面对表扬，他掩饰不住露出了喜悦，并告诉我说：“我一定会努力。”随后，我面对全体同学又表扬了他，并且我对同学们说：“邱猛是我们的小雷锋，我们相信邱猛同学从明天开始会彻底改变自己。”然后，让大家鼓掌鼓励，邱猛看到了同学们都在鼓励他，看到老师期待的目光，红着脸低下了头，不过我可以看出他已经在心里默默下决心改变自己了。

下课后，他偷偷递给我一张纸条，上面写着“老师，谢谢你。”第二天、第三天……慢慢地我发现邱猛变了，不再是原来那个好动、捣乱的邱猛了，现在他对学习更加积极了，他的成绩也明显提高了，上课的注意力比以前集中多了，各科老师都很惊讶他的转变。

思考：你认为“我”与邱猛同学之间是属于什么类型的师生关系？请谈谈你的理由。

（三）小学阶段师生关系的特点

研究者对师生关系与儿童青少年心理发展做了大量的研究，认为师生关系对儿童的学校适应、社会性行为、自我意识、学习成绩等均有显著的影响。随着儿童年龄的增长，儿童与教师的交往观念、交往行为都在发生变化。对三年级至六年级小学生师生关系特点的研究发现，小学生的师生关系具有亲密性、反应性和冲突性三方面的特点；在不同年级，师生关系在这三方面有不同的表现：五年级学生表现出高亲密、高反应和高冲突的特点，而六年级学生则表现出低亲密、低反应、低冲突的特点。

人际交往通常都是双向的，师生交往也同样如此。教师的教学水平、个性特点会影响学生对教师的看法，而学生的学业成绩、活动表现、外貌特征等也会影响师生关系。研究发现，女生比男生容易建立更为积极的师生关系，学业表现好的学生与教师容易建立更为融洽、和谐的师生关系。

学 以 致 用

五（三）班有一位小女孩叫莹莹，她的父母离异，爸爸给她找了一位新妈妈。新妈妈会给她做饭、洗衣服，还时常给她买新衣服。每周星期一上学的时候，莹莹看起来很精神，校服干干净净的，看来新妈妈还是很关心她的。但是，孩子在班里几乎没有朋友，上课时常走神、目光呆滞，和她谈话时也总是面无表情，作业也很少按时完成。一次，我对她说要请她的家长谈一谈，她哭了，并且哭得很伤心，我问是怎么回事？她说老师不要请我爸爸来，我爸爸知道了会把我放在下水道里去的。但我考虑再三，还是请了家长，我将孩子在学校的情况反馈给了她的爸爸，询问了关于把孩子放进下水道的事情。爸爸说：“我的孩子经常吵着、闹着想见她的妈妈，想给她妈妈打电话，我没有同意，怕影响孩子和新妈妈的关系。我也曾说过到了学校要好好学习，如果老师请家长，我们就把你放到路边的下水道里去，是我们在吓唬她。”

还有一次，我去上课，这个孩子抹着眼泪，为不影响其他孩子上课，我没去询问，这节课的20分钟过去了，她还在哭，我把她叫到教室外面问是怎么回事。她说："老师，我想妈妈，明天就是我的生日了，爸爸说妈妈在国外。"当时我心里也很难受，心想孩子想妈妈是她应有的权利，于是，我打通了她爸爸的电话，谈了孩子的状况，殊不知，粗心的爸爸早把孩子的生日忘得一干二净了。在我的说服下，孩子生日那天和她的妈妈通了电话，并在全班同学的祝福声中快乐地度过了生日，还收到了我和同学们送给她的生日礼物。作为班主任的我，也记住了每年11月30日的这一天。

思考：这位班主任的做法对你有何启发？

(四) 小学儿童对教师的态度

刚入学的儿童总是对教师充满了崇拜和敬畏，教师就是他们心目中的权威。有关调查发现，绝大部分的小学儿童特别是低年级的小学儿童认为一定要听教师的话，这种对教师权威的绝对服从有助于小学儿童在教师的指导下学习新知识、形成新习惯。但是，随着年龄的增长，儿童的独立性和评价能力也随之增长起来，从三年级开始，他们不再无条件地、盲目地服从和信任教师了，他们开始对教师做出评价，会得出"老师说的话不一定都对"的结论。他们对教师的态度开始变化，对不同的教师也表现出不同的喜好。调查还发现，小学生最喜欢的教师往往是讲课有趣、喜欢体育运动、严格、公正、知识丰富、为学生着想的教师。对教师的评价影响小学儿童对教师的反应，他们对喜欢的教师报以积极反应，极为重视该老师的授课科目，而对不喜欢的教师往往予以消极的反应，甚至抵触该教师的任课科目。由此可见，小学儿童对教师的情感成分比较重，教师与学生保持良好的关系有助于教育活动的有效实施。

第四节　小学儿童性别差异与性别角色的发展

儿童一生下来就被分别纳入由社会划分好的"男""女"两个性别范畴，在成长过程中，逐渐获得了他（她）所生活的那个社会所认为的适合于男性或女性的价值、动机、情绪反应、性格特征、言行举止。

一、小学儿童的性别差异

两性的差别可以从三个方面去探讨，即生理差别、行为差别和心理差别。

生理差别比较明显，男高女低，男壮女弱等。行为差别比心理差别明显，但不如生理差别大，如男性行为粗犷，女性行为细腻；心理差别最不明显，很难通过日常观察判断出来。了解性别差异，有助于教师或家长针对性地采取教育措施，更充分地挖掘两性的不同潜力，也能为两性的职业选择提供科学的依据，还能消除对女性的歧视。

（一）智力差异

两性智力方面的差异受到年龄的影响。幼儿时期，女童的智力略优于男童的智力，但并不显著。从小学开始，两性的智力差异开始显露，表现为女童的智力水平优于男童。到了青春发育期，女性智力发展的优势开始下降，男性的智力逐渐优于女性，并且随着年龄的增长，这种优势越来越明显，青春发育期结束才逐渐减弱继续扩大的趋势。

两性智力差异的年龄倾向，反映了两性在智力总体上的平衡性。这种平衡性还反映在另一方面，即男性在智力发展的分布上聪、愚两端都比女性多，而女性的智力发展较为均匀。英国和日本的不少研究者也发现两性的平均智商没有什么差别，但男性的标准差很大。

（二）认知能力方面的差异

在感知觉方面，女孩触、痛觉的阈限较低，对声音的辨别和定位能力较强，对颜色和色调的知觉优于男孩；男孩的空间认知能力较好，观察能力强。在接受外来信息时，男孩发达的视觉通道弥补了其他通道的不足。在感受性和思维方面，女孩的心理感受性比男孩强，创造性思维能力稍差。由于女孩的感受性强，她们不善于把一件事的客观过程同自己当时的内心体验相区别，所以女孩向别人描述一件事情时经常带有浓厚的感情色彩。男孩的特点是思维具有广泛性、创造性，眼界较宽，概括力强。

小学儿童在注意方面存在着较明显的性别差异。一般而言，女生注意的稳定性比男生强，男生比女生容易分散注意。但男生在注意的转移上优于女生，这主要是由于男生的注意稳定性较女生差，在课堂教学中对原来注意的专注度比女生低，所以男生比女生注意的转移速度快。女生的注意兴趣多指向于人，而男生的注意兴趣多指向于物。

在记忆能力方面，男性的理解记忆和抽象记忆能力较强，女性的机械记忆和形象记忆的能力较强。例如，在复述课文时，小学男生一般不满足于逐字逐句地背诵或模仿教师的讲述，而总是喜欢加入一些自己的语言或根据课文的大意进行自由复述，他们所关心并记忆的是课文的思想内容而不局限于原文的字句。女生在复述课文时，常喜欢从头到尾、逐字逐句地复读，不大注意对识记材料进行思维加工。女生对具体事物的记忆较为精确，模仿性强，能凭借形象记忆精确地模仿别人的动作和语言。

小学阶段男女生在思维方式上有较为明显的差异。男生逻辑思维占优势，女生形象思维占优势。女生处理问题时注意细节，但对整体与部分之间的联系把握较差；而男生倾向于独立思考，分析与综合能力较强，处理问题比较重视整体与部分之间的联系，但对细节注意不够。在小学阶段，男女生在语文和数学学习方面的成绩表现出一定的性别差异。小学儿童学习基础知识和基本技能时，男女生思维方式尚未产生明显的差异，但在运用这些基础知识和基本技能时会表现出明显的差异。随着年级的升高，知识的综合性越来越强，灵活运用知识的要求越来越高，部分女孩由于思维方式的影响，适应不了学习新知识的要求，学习成绩逐渐落后于男生。

（三）言语和交往方面的差异

女孩子开始说话比男孩平均早 2～4 个月，三四岁的女孩 25％的时间在与人交往。与周围人的语言交流无疑是获取知识的一种重要手段，因此女孩的语言能力在青春期前领先于男孩。男孩的词汇量比女孩丰富，他们比较重视那些易被人忽视的对象和概念，讲话喜欢使用动词和感叹词，描述行为居多。女孩子喜欢对事物做出评价，讲话时爱用名词和形容词。女孩在言语上的优势一直可以保持到高中阶段，她们不但擅长拼写等相对简单的言语任务，而且在遣词造句、作文等较为复杂的语言运用方面略胜一筹。

（四）兴趣和行为方面的差异

在兴趣方面，男孩和女孩的区别更为明显。男孩的活动常定向于物，活动量大、精力旺盛、喜欢探究。男孩子对枪械、机械、车辆等运动量大、竞争性强的体育活动更感兴趣。女孩的活动常定向于人，她们擅长交往，富于感情，而对新奇事物不够敏感。她们喜欢布娃娃、手工艺品等玩具，对带有表演色彩的游戏感兴趣，乐意接受成人和她们一起做游戏，她们喜欢参加活动量小竞争力不强的体育活动。从合作性上看，女孩在一起从事合作性的活动多于男孩。

小学儿童在兴趣和行为方面的性别差异比较明显。女生比男生更易服从教师的安排，乐于完成一些机械重复的任务，如背诵课文。女生的自我控制力比男生强，学习的专注度好于男生，但兴趣比较狭窄。男生的兴趣范围比较广泛，对很多事物都感兴趣并付出一定的精力去研究。这些非智力的差别是导致小学女生的学业成绩优于男生的原因之一。

（五）个性方面的差异

一般认为，男孩比女孩勇敢、坚强、果断、独立，具有支配性、竞争性和强烈的成就动机；女孩相对温柔、友好、合作、谦和、对他人的需要敏感，更容易哭泣。女孩容易情绪化，遇事容易激动；相对来说，男孩更沉着稳重、理智感更强。在自我评价上，男性对自己的成绩倾向于高估，而女性对自己的成绩倾向于低估。

二、小学儿童性别角色的发展

小学儿童性别角色的发展是儿童社会性发展的一个重要领域。由于性别不同，受社会规范、价值等观念的影响不同，从而产生不同的性别角色。

（一）性别角色发展的内容

儿童性别角色的发展主要表现在以下几个方面。

1. 性别概念的发展

性别概念是关于社会对男性和女性的期望的理解。儿童性别概念的发展经历了三个阶段：首先是获得性别认同（2～3 岁），即儿童能正确标定自己和他人的性别；然后是理解性别稳定性（4～5 岁），即知道人的性别不会随年龄变化而变化；最后是性别恒常性的获得（5～7 岁），即懂得人的性别不会随服饰、形象或活动的改变而改变。

2. 性别角色知识的发展

性别角色知识是儿童对于男女各自适宜的行为方式和活动的认识。3 岁甚至更早期的儿童就懂得不同性别角色所应有的活动和兴趣，如知道男孩该玩汽车、刀枪，女孩该玩娃娃、烹饪游戏。5 岁儿童已经认识一些与性别有关的心理成分，如男孩应勇敢、坚强、大胆，女孩应温柔、文静、细心。小学阶段，儿童有关性别角色的知识更加丰富、稳定、灵活。

3. 性别偏爱的变化

性别偏爱是个体对男性角色或女性角色的偏爱倾向。一般而言，儿童常常偏爱与自己同性别成员的角色或活动，如男孩更喜欢参与具有男子气的活动，而女孩中却往往会有阶段性地表现出偏爱男子气活动、接受男子个性特征的倾向。研究显示，女孩对异性玩具、游戏和活动的兴趣保持时间比男孩更久，在小学阶段尤其如此。这可能与儿童性别化过程中父母的教养方式有关，父母往往更注意培养男孩不要有“娘娘腔”，而很少在意女孩的“假小子气”。

4. 性别角色行为的选择

儿童在很早的时候就显示出行为的性别特征，随着儿童性别概念和性别角色意识的发展，会更有意识地采纳和选择符合自身性别的角色行为，如男生更喜欢参与激烈的、竞技性的活动，而女生更喜欢表演、跳绳等非竞技类的活动。这些性别角色行为的选择使男女角色行为的分化更加鲜明突出。

（二）性别角色发展的阶段

关于儿童性别角色的发展，厄利安根据个体发展过程中体现出的不同发展取向，把儿童的性别角色发展划分为三个阶段①。

生物取向阶段（6～8 岁）：此时儿童所持有的关于男性和女性的各种认识是以男女之间机体上存在的生理差异和外貌特征为依据的。

社会取向阶段（10～12 岁）：个体对男性和女性所持有的各种性别角色概念以社会文化的要求和社会角色的期待为依据，儿童对男性和女性的认识是通过对社会公认和赞许的关于男、女行为的各种准则和规范的学习而获得的。

心理取向阶段（14～18 岁）：此时个体所持有的性别角色概念不再是以社会准则和规范为唯一根据，而是以男女各自具有的内在心理品质为主要依据。在此阶段，性别角色不再以生理属性和社会角色为主要内容，而以个体在心理上所表现出的性别特征为核心。

小学儿童对性别角色的认知处于前两个阶段，低年级儿童对性别角色的认识主要还是停留在男女在机体上的生理差异，如男孩更高、更强壮，女孩更纤细、更瘦弱。高年级儿童对性别角色的认识主要是社会取向的，他们对性别角色的认识是在对社会文化的不断学习中获得的。其中，社会大众传媒对儿童性别角色的获得起了重要作用。例如，动画片中赋予不同动物以不同的性别特征，往往会成为小学儿童获取性别角色的重要渠道。

三、小学儿童的性别角色教育

（一）转变传统的性别观念，为儿童提供双性化人格教育

随着社会的发展，传统的男女性别差异的标准已成为阻碍男女儿童潜能发展的障碍。为避免儿童从小建立起关于自身性别的刻板图式，弱化两性之间的社会行为的人为差异，家长和教师在日常教育中应注意对儿童进行双性化教育，消除性别角色刻板观念的束缚，使儿童成为具备双性化人格特征的人。在这个过程中，我们需要淡化男女两性固有的性别框架，使每一个儿童都有更广泛的选择和发展空间，尤其要注意培养女孩的自主性、独立性和冒险精神，培养男孩的细致、耐心和敏感。

阅读专栏 7-6：性别角色偏见对小学儿童心理发展的影响

儿童进入学校以后，性别行为更多地受到教师偏见的影响。不少教师总认为女孩听话、安静、文雅，但是脑子不够灵活，喜欢死读书；男孩虽然调皮捣蛋、好动，但是脑子灵活、聪明。一些教师常常对女孩的某些消极的个

① 桑标．儿童发展心理学[M]．北京：高等教育出版社，2009：306.

性特点加以鼓励，而对男孩的某些积极的个性特点加以批评甚至惩罚。教师对男孩的批评一般多于女孩，所以在小学阶段，女孩在学习成绩上往往优于男孩，且担任班干部的女孩多于男孩。另外，一些教师在女孩学习遇到困难时，往往把它归结为能力不足，而男孩面对同样的困难时，教师则认为是学习动机问题，即是由其他一些非智力因素造成的。这样的态度会对男、女儿童产生不同的效应。渐渐地，男、女儿童会根据教师及他人对自己成功和失败的评价而作出的不同反应，他们逐渐改变了原来对自己的看法，并改变了自己原来的行为，各自发展了“适合”自己性别的活动和能力。

资料来源：陈威．小学儿童心理学[M]．北京：中国人民大学出版社，2016：259.

（二）开展多样化的课余活动，男女儿童优势互补

通过开展丰富的、多样化的课余活动，使学生自主地参与到各种活动中，特别是传统上只属于异性的活动中去。比如，鼓励女生同男生一起参加体育类竞技活动或需要动手的主题探索类活动，组织男生参与艺术、手工、语言、表演等社交性活动。此外，教师应尽可能在活动中对男女生同等对待，实施性别平等教育。在尊重、平等的前提下将个体的潜能和优势发挥出来，不歧视、不排斥，采用多元化的教育手段，推动所有儿童在相互取长补短的过程中得到充分、全面的发展。

（三）避免性别刻板印象

长期以来，人们对男性和女性应该具有的人格体征和行为模式形成了僵固不变的性别观念，这种性别刻板印象限制了儿童最大化、最优化的发展。因此在儿童的性别角色教育中要消除性别刻板印象和认识，树立正确的社会性别认识。教师在教学过程中可以引用职业女性、成功女性案例和细腻、有亲和力的男性案例，展示两性平等的角色和地位。另外，尽量平衡小学教育中男女教师的性别比例，给予男女生同等合理的成就期望；帮助学生逐渐认识到不论是男孩还是女孩都应了解自己的长处和缺点，向异性学习，最大限度地发挥自己的潜能和优势，逐渐形成良好的个性心理品质和社会适应能力。

思考与练习：

1. 什么是社会性发展？
2. 社会性发展有哪些特征？
3. 如何培养小学生积极的自我意识？

4. 如何评定小学的同伴关系？
5. 如何培养小学生的同伴交往能力？
6. 儿童性别角色发展分为哪些阶段？
7. 小学生性别差异表现在哪些方面？
8. 如何对小学生进行性别角色教育？

第八章　小学儿童道德品质的发展与教育

学习目标：

1. 掌握皮亚杰道德认知发展理论。
2. 掌握柯尔伯格道德认知发展理论。
3. 领会小学生道德认知的发展特点与培养方法。
4. 领会小学生道德情感的发展特点与培养方法。
5. 领会小学生道德行为的发展特点与培养方法。

内容概要：

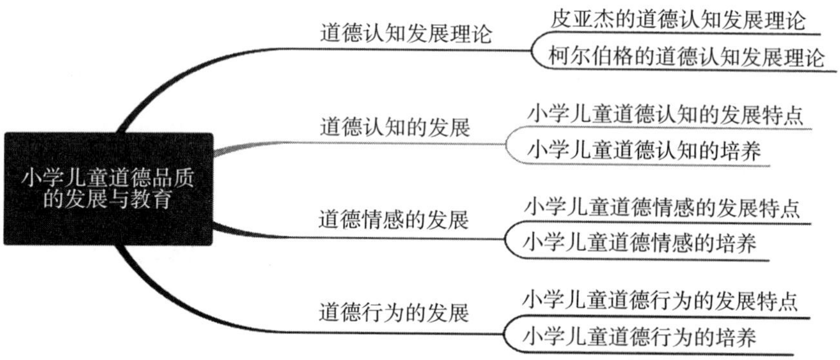

案例导读：

美国一位著名的心理学家曾做过一项研究，在全美选出50位成功人士和50位有犯罪记录的人，分别写信给他们，请他们谈谈自己成为现在这个样子最根本的原因是什么。有两封回信给他留下了深刻的印象：一封是来自监狱的服刑犯人，一封是来自白宫的政府官员。他们谈的都是同一件事：小时候，母亲给他们分苹果。

第一封信这样写道：小时候，有一天妈妈拿来几个苹果，我一眼就看出中间一个又大又红的苹果，十分喜欢，我很想要那个又大又红的。这时。弟弟抢先说出了我想说的话，妈妈听了很不高兴地看了他一眼，责备他说："好孩子要学会把东西留给他人，不能总想着自己。"于是我灵机一动，改口说："妈妈，我要那个最小的，最大的留给弟弟吧！"妈妈听了非常高兴，她在我的脸上亲了一下，表扬我是一个好孩子，把那个又大又红的苹果奖励给了我。我说谎话，却得到了我想要的东西，从此，我学会了说谎。有了这样的经验以后，我又学会了打架、偷盗、抢劫，为了得到想要得到的东西，我不择手段，直到现在我被送进监狱。

第二封信是这样写道：小时候，有一天妈妈拿来几个苹果，我和弟弟们都急着要大的，妈妈把那个最大的苹果举在手中，对我们说："这个苹果最大最红最好吃，谁都想要得到它。现在让我们来做个比赛，我把门前的草坪分成三块，你们三人一人一块，负责修剪好，谁干得最快最好，谁就有权得到它！"我们三人比赛拔草，结果我赢得了那个最大的苹果。这个经历让我明白了一个最简单又最重要的道理：想要得到最好的，就必须努力。在我们家里，你想要什么好东西都要通过比赛来赢得，这很公平，你想要什么，想要多少，就必须为此付出多少努力和代价。

思考：这个研究对小学教师开展道德教育有何启发？

小学阶段是人生发展的奠基阶段，应将促进儿童良好道德品质的形成视为小学教育的核心目标之一。教师在教育工作中必须了解小学生道德发展的特点，从而有针对性地实施道德教育。

第一节　小学儿童道德认知发展理论

儿童的道德认知是指儿童对是非、好坏、善恶的行为准则及其意义的认识。儿童的品德发展要以他们对社会道德准则的认识为基础，需要掌握一系列道德概念，形成道德观念体系，正确进行道德评价。因此，一些学者把儿童的道德发展看作其认知发展的一部分，认为儿童的道德发展过程可以在他们的认知发展进程中找到依据，儿童道德上成熟的标志就在于他们能做出正确的道德判断与推理。因此，道德认知是品德形成的基础，认知水平的高低直接影响道德品质的水平。

一、皮亚杰的道德认知发展理论

皮亚杰是第一个系统地研究儿童道德认知发展的心理学家，他对儿童道德认知发展的研究成果集中体现在他于1932年发表的《儿童的道德判断》一书中。皮亚杰主要是通过探讨儿童的道德判断来研究儿童道德认知发展规律的。

（一）皮亚杰的研究方法和内容

皮亚杰认为要研究儿童道德判断的性质，不能采用直接的提问法，只有从儿童对特定行为的评价中才能分析出他们对问题的真实认识，为此，他和同事创立了对偶故事法，设计了许多包含道德价值内容的对偶故事，并以此来研究儿童对过失行为、说谎的道德判断以及儿童公正观念等方面的发展。

阅读专栏8-1：对偶故事举例

例1：

故事A：有一个小男孩叫朱利安。他父亲出去了，朱利安觉得他父亲的墨水瓶很有意思。开始时他拿着钢笔玩，后来他在桌布上弄了一小块墨水渍。

故事B：一次，一个叫奥古斯塔斯的小男孩发现他父亲的墨水瓶空了。在他父亲外出的那一天，他想把墨水瓶灌满以帮助父亲。但在打开墨水瓶时，奥古斯塔斯在桌布上弄了一大块墨水渍。

例2：

故事A：有一个叫亨利的小男孩，一天他妈妈外出，他想偷吃放在碗柜里的果酱。因为果酱放得太高，他爬上一把椅子伸手去拿，但还是够不着。在他尽力伸手拿时，碰倒了一只杯子，杯子掉地上摔碎了。

故事B：一个叫约翰的小男孩正在他的房间里玩，妈妈叫他吃饭。他走进餐厅时，门后有一张椅子，椅子上放着一只盘子，盘子里有15只茶杯。约翰不知道有这些东西，结果他推门时撞到了盘子并打碎了这15只杯子。

皮亚杰对每一个对偶故事都提出了两个问题：①这两个孩子的过失是否相同？②这两个孩子中，哪一个更淘气一些，谁更应该受到惩罚？为什么？

结果发现，处在他律道德阶段的儿童认为过失较大的儿童更应该受到惩罚，因为他泼洒了更多的墨水渍（或者打碎了更多的杯子），而不考虑两个小孩的动机。

资料来源：李丹．小学儿童发展与教育心理学[M]．上海：华东师范大学出版社，1987：106.

（二）皮亚杰的道德发展阶段论

皮亚杰通过他独特的方法研究了儿童对过失、谎言等的判断，对儿童关于公平、权威等道德观念的理解进行了研究，并据此归纳出儿童道德认知发展的四个阶段：

前道德阶段（2～4 岁）。这一阶段的儿童正处于前运算思维时期，对问题的考虑还是自我中心的，他们没有真正的道德概念，也不能把自己从他人中分化出来，其行为直接受行为结果所支配，而且道德认知不守恒，不能真正理解规则的含义。因此，这个阶段的儿童行为既不是道德的也不是非道德的，即不具有道德性。

道德实在论阶段（5～7 岁），也称他律道德阶段。这个阶段儿童的道德判断具有以下几个特征：

第一，单方面尊重权威，有一种遵守成人标准和服从成人规则的义务感。儿童认为道德规则是由父母、老师和警察这些权威人物制定的，这些规则是绝对的、不可以改变的。例如，因为医疗急救而超速行驶，6 岁的儿童会认为这种行为是不对的，违反了警察制定的交通规则。

第二，儿童在判断行为的好坏时，依据行为的后果而不是行为的主观动机或意图。例如，认为打碎杯子数量多的行为比打碎杯子数量少的行为更坏，而不考虑行为的意图。

第三，儿童在评定道德事件时总是持非黑即白的态度。判断别人的行为时，不是好就是坏，而且认为别人也会这样认为，不能把自己置于别人的立场来看待问题。

第四，内在的公正，认为惩罚是天意，违反规则就一定会受惩罚，而不管是否有他人发现，而且还把道德法则和自然规律相混淆，认为不端的行为会受到自然力量的惩罚。例如，一个孩子偷了糖果，但是没有人看见，第二天他摔倒伤了膝盖，他认为这就是对其偷窃行为的一种惩罚。

道德相对论阶段（8～11 岁），也称自律道德阶段。皮亚杰认为，只有达到了自律道德水平，儿童才算有了真正的道德，这个阶段儿童的道德判断有如下特征：

第一，儿童认为规则不是绝对的，可以通过集体协商而调整和改变。儿童认识到规则是由人们根据相互之间的协作而制定的，如果有必要可以按照人们的意愿加以改变，规则不再被当作存在于自身以外的强加的东西。

第二，儿童判断行为时，不只是考虑行为的后果，还考虑行为的动机和意图。因此 10 岁的儿童会说，因偷吃果酱而打碎一只杯子的亨利比不知情、不小心打碎 15 只杯子的约翰更淘气。

第三，儿童开始根据自己的道德标准来要求自己和评判他人，并能把自己置于别人的位置，设身处地进行评判，判断不再绝对化，能看到可能存在的不同观点。

第四，儿童能提出的惩罚措施与所犯的错误更加匹配，而且能把错误看作是对过失者的一种教训，惩罚比较温和，带有补偿性，以帮助错误者认识和改正。

公正阶段（11、12 岁以后）。在这个阶段儿童以公道、公正作为判断是非的标准，更多从动机判断行为。同时，儿童不再刻板地按固定的规则去判断，而是在依据规则判断时也会考虑到同伴的一些具体情况，如从关心和同情出发去判断。皮亚杰认为公正观念是一种高级的平等关系，这种道德观念能够从内部影响和决定儿童的道德判断。

皮亚杰认为儿童道德发展阶段的顺序是固定不变的，儿童的道德认知是从他律道德向自律道德转化的过程。根据皮亚杰的观点，由他律道德向自律道德转化需要依赖两个条件：一是认知成熟；二是社会经验。认知成熟即内在因素，随着认知能力的发展，儿童逐渐脱离自我中心思维，在评价道德情境时会考虑更多的信息，能够理解他人与自己有不同的观点，从而促进其道德判断从他律转向自律。社会经验即外在环境因素，在儿童早期，幼儿认识到父母通常会给出行为指令，为了取悦父母，儿童接受了规则必须服从的信念。随着年龄的增长，与同伴的相互作用成为他们最重要的社会化因素。儿童进入小学以后，与父母相处的时间逐渐减少而与同伴的接触时间逐渐增多，因此儿童获得了更多与他人进行平等交流的机会。在与同伴的交往中，儿童会把自己的观点同他人的观点进行比较，从而认识到自己的观点有别于他人的观点，对他人的观点也可以提出疑问和更改意见。同时，同伴交往能使儿童认识到同样的行为可能会被他人以不同的方式所理解，从而导致不同的结果。在同伴的相互交往中，儿童开始摆脱对权威的束缚，互相尊重，共同合作，使公正感得到发展。

皮亚杰认为，小学儿童正处于从他律道德阶段向自律道德阶段转化的过渡阶段，是儿童道德发展的关键时期。

（三）皮亚杰道德发展理论对小学道德教育的启示

皮亚杰道德认知发展阶段理论为培养儿童的道德观念、情感和行为提供了理论支撑，为研究儿童道德教育问题提供了一种思路和方法，对开展小学德育工作有深刻的启发作用。

儿童道德发展具有阶段性和连续性，针对不同年龄阶段的儿童，要采用不同的道德教育方法和道德教育内容，防止一刀切的现象。小学阶段道德教育内容应该利用一些具体的道德实例，要求儿童从身边的一些具体小事做起，培养儿童良好的道德认识、道德情感和道德行为。在现实生活中，有些学校的德育工作之所以没有取得良好的效果，有很大一部分原因是脱离了学生的实际情况，向学生讲授一些空泛的德育内容。

认知发展在道德发展中具有重要作用。发展儿童的思维，尤其是道德思维，对于提高儿童的道德认识、促进个人的道德发展是十分有必要的。道德认识的产生，有利于激发儿童的道德情感，从而出现道德行为。

利用榜样强化的方法，通过家长、教师的引导，同伴合作来促进道德发展。儿童可以通过观察、模仿接受道德教育。家长、教师等成人的引导，让儿童的道德判断符合客观规则，与同伴的协助则能够消除他律阶段对权威的盲目服从，促进道德的发展。

二、柯尔伯格的道德认知发展理论

美国心理学家柯尔伯格系统地扩展了皮亚杰的理论和方法，经过多年研究，他提出了人类道德发展的顺序原则，并认为道德认知是可以通过教育过程加以培养的。

（一）柯尔伯格的研究方法

柯尔伯格和皮亚杰一样，认为道德概念体系的发展与认知发展是一致的，道德发展作为一个连续的发展过程，由于认知结构的变化而表现出明显的阶段性。但是，他认为皮亚杰的儿童道德认知研究方法中存在某些局限，如所采用的对偶故事中，造成较坏后果的儿童总不是故意的，而造成较轻后果的儿童总是有意的。此外，柯尔伯格感兴趣的是检验和描述道德判断的思维结构而不是道德反映的内容。鉴于上述考虑，柯尔伯格编制道德两难故事作为引发儿童道德判断的工具。道德两难故事是指提出两个相互冲突、面难抉择的价值判断，让儿童听完故事后，回答一系列问题，以此判断其道德发展的水平。

为了进行实验研究，柯尔伯格共设计了10个假定的道德两难故事，其中被引用最多的则是“弟弟的难题”和“海因茨的难题”。

故事A：乔的爸爸许诺说，如果乔挣到50美元，就可以去野营。但是后来他改变了主意，要求乔交出他所挣的钱。乔撒谎说他只挣了10美元，并打算用其余的40美元去野营，出发前乔将挣钱的事情和对爸爸撒谎的事情告诉了他的弟弟亚历山大。亚历山大应该把事情的真相告诉爸爸吗？

故事B：在欧洲，一位妇女得了一种特殊的癌症而濒临死亡。医生认为只有一种药能挽救她的生命，这种药就是城里一位药剂师最近发明的一种镭化物。这种药造价非常高，但药剂师开价2 000元，比实际价格高出了10倍。这个妇女的丈夫海因茨四处筹集却只借到了1 000元。海因茨无奈请求药剂师便宜一点卖给他，或者允许他赊账。但药剂师却回答：“不，我发明这种药，就是要用它来赚钱的。”海因茨陷入了绝望，于是他溜进药店给妻子偷药。

资料来源：张文新．儿童社会性发展[M]. 北京：北京师范大学出版社，2000.

柯尔伯格的第一批被试是住在芝加哥郊区的 72 名男孩。他们分别为 10 岁、13 岁和 16 岁。为避免家庭环境对被试道德判断水平的影响，所选被试中，一半儿童来自经济水平处于中上等的家庭，而另一半来自经济水平处于中下等的家庭。实验时，柯尔伯格把这些故事给不同年龄阶段的孩子看，让他们对故事内容发表自己的看法，他把这些看法记录下来，以分析被试使用的道德准则。下面是 3 个不同年龄的孩子对道德两难故事所作的论述：

丹尼，10 岁，“弟弟的难题”：“一方面，他应该告诉爸爸事情的真相，否则的话，他的爸爸或许会生他的气，甚至会打他的屁股。另一方面，也许他应该保持沉默，否则他的哥哥会揍他。”

道恩，13 岁，“海因茨的难题”：“我认为是药剂师的错。他是不公道的，要高价且不顾别人的死活。海因茨爱他的妻子，想救她，我认为任何人都会这么做的。我相信他不会被关进监狱，法官会全面看待这场官司并明白药剂师是在漫天要价。”

乔治，16 岁，“海因茨的难题”：“我不这样看，因为药剂师有权决定药的价格。我不能说海因茨确实做对了，尽管我猜想任何人都会为了妻子这么做。他宁愿进监狱也不愿看到他的妻子死去。在我看来，他有正当理由这么做，但从法律的角度看，他是错的。究竟是对是错，我不能发表更多的意见。”

（二）柯尔伯格的道德认知发展阶段

通过对儿童关于道德两难故事的回答，柯尔伯格认为，儿童道德认知发展遵循固定的三个水平，每一个水平又包含两个不同的阶段。根据柯尔伯格的观点，这些道德水平和道德阶段的发展顺序是固定不变的，因为其发展依赖于一定的认知能力，而认知能力是按照固定顺序发生发展的[①]。柯尔伯格认为道德发展的每个阶段代表的是对道德两难问题的特定观点或思维方式，而不是特定形式的道德决策。柯尔伯格的道德发展理论的基本主题和特征如下：

水平一：前习俗水平（4～10 岁）。这一水平的道德判断是由外部价值观控制的，相当于皮亚杰的他律道德阶段。儿童接受权威人士主张的道德规范，

① 沈德立．小学儿童发展与教育心理学[M]. 上海：华东师范大学出版社，2003：107.

对是非的判断取决于行为的后果。该水平分为两个阶段：

阶段一，惩罚与服从定向阶段。在该阶段儿童判断行为好坏的主要依据是行为的结果，儿童为避免惩罚而遵从权威。儿童认为一个行为造成的伤害越严重或者受到的处罚越严厉，这个行为就越不当，而对于未被发现或没有受到惩罚的行为，则认为该行为是恰当的。

阶段二，工具目的定向阶段。儿童开始基于自己的利益和他人将给予的回报来考虑服从原则。他们判断行为正确与否的标准是能不能满足自己的需要，即出于个人利益的考虑。

水平二：习俗水平（10～13 岁）。儿童将权威的标准加以内化，他们服从规则以获得他人支持或维持社会秩序。这个水平也分为两个阶段：

阶段三，好孩子定向阶段。认为道德行为是指受人喜欢、支持或对他人有好处的行为，此时的儿童能根据行为的动机、行为者的特点以及当时的情境来评估行动。

阶段四，维护社会秩序定向阶段。儿童开始考虑普通大众的观点，认为任何情况下法律都是不能违反的，遵守规则不是为了逃避惩罚，而是基于服从规则和法律以维持社会秩序的信念。如果一个行为违反了法规并伤害了他人，则认为这一行为是错误的。

水平三：后习俗水平（13 岁以后）。个体获得了真正的道德概念，能认识到道德原则之间的冲突，以及如何从中进行选择。

阶段五，社会契约定向阶段。个体认为法律和规范是为了反映大多数人意志和促进人类幸福的工具，如果理由充分，法律也是可以通过公正的程序去修改。法律作为一种社会契约，遵守它对社会有好处。这时个体能以理性的方式进行思考，重视多数人的意愿和社会福利，认为依法行事是最好的行为方式。

阶段六，普遍的道德原则定向阶段。这一阶段，人们依据自己认为对的方式行事，而不理会法律或他人意见，个体判断是非对错是依据内在标准，行为受自我良心的约束。

柯尔伯格指出，这六个阶段按照顺序依次发展，不能超越，但并不是所有人都能达到最高水平，有的人即使到了成年以后也还处于第三阶段或第四阶段。

（三）柯尔伯格道德发展理论对我国学校道德教育的启示

柯尔伯格作为“现代道德教育复兴运动”中最著名的代表人物，对美国乃至世界的学校道德教育产生了深远的影响。他不仅研究道德发展的理论问题，还强调把研究结果运用到教育实践中去，该道德发展理论对我国的德育实践具有重要的启示和借鉴意义。

1. 在道德教育中，遵循儿童的认知发展规律，避免成人式的道德灌输

柯尔伯格的实验研究揭示了儿童道德发展是一个逐步上升的过程，是按照一定的规律以固定的顺序向前发展，不会倒退也不会被提前。然而，在我们传统的道德教育中，成人常常会按照自己的意志将许多道德准则灌输给儿童，而忽视他们的年龄特点和道德发展水平。柯尔伯格认为："儿童道德成熟的标志是他做出道德判断和提出自己的道德原则的能力，而不是遵从成人的道德判断的能力。"教育者需要理解成人与儿童以及儿童与儿童之间在道德理解上的差异，了解儿童道德发展所处的阶段，然后再根据他的认知特点和道德发展水平进行教育。

2. 在道德教育中，重视受教育者的主体性，将他律内化为自律

道德规范的形成既不是与生俱来的，也不是外界直接灌输的，而是个体与他人、个体与社会相互作用逐渐构筑起来的。在道德教育中需要重视受教育者的主体性，激发他们的内在需求，调动学习的积极性，变被动学习为主动学习，将他律内化为自律。在具体方法上，柯尔伯格主张采用编制道德两难问题，儿童有机会接触学校、社会中的道德两难问题，引起儿童对道德认知的冲突，并通过讨论、体验、分享等方式来解决认知冲突，促进儿童的道德水平向更高一级的层次发展，使儿童在面临道德问题时能明辩是非，具备作出正确道德判断和道德抉择并付诸行动的能力。

3. 在道德教育中，加强道德行为的实践

道德教育是知、情、意、行的综合过程，只强调道德知识的灌输，没有道德情感的共鸣，没有道德行为的训练，都不会产生真正的道德行为。更重要的是，道德问题并非通过课堂讨论就可以解决，它往往与团体氛围、人际环境有关，因此，道德行为的实践也是提升道德推理水平的重要环节。

第二节　小学儿童道德认知的发展与培养

儿童道德成熟的标志在于他们能否做出正确的道德判断与推理，因此，道德认知是品德形成的基础，认识水平的高低直接影响道德品质的水平。

一、小学儿童道德认知的发展特点

道德认知由道德观念和道德评价两部分组成。其中，以道德观念的形成为先决条件，以道德评价能力的发展为主要标志。

（一）道德观念的形成

道德观念是对社会道德现象一般特征和本质特征的反映。道德观念的形成表明儿童已不是直观地认识道德现象，而是能够概括地反映道德现象的本质特征。儿童形成道德观念以后，就能够以它为依据去评价是非、善恶，并指导自己的行动。

小学儿童道德观念的形成要经历一个复杂的过程，要从直观具体、比较肤浅的认识逐步过渡到比较抽象的、本质的认识，要经历感性认识到理性认识两个阶段。研究表明，小学儿童的道德观念是从大量的道德情境中逐步抽象出来的，他们最初形成道德观念离不开日常生活中成人对种种行为的褒贬和评价。例如，儿童听到成人夸赞对人有礼貌的孩子，会认识到礼貌是一种好品德，认为只要受到老师和家长表扬和许可的行为就是“好”行为。在小学低年级，道德观念来自感性经验，常常与具体的、个别事物联系在一起，是直观的、具体的、特殊的，反映的是社会道德现象的外部特征，且所涉及内容大多数与日常生活有关。到了高年级，他们的道德表象逐渐丰富和完善，能够形成比较抽象的、本质的和一般的道德观念，如“助人为乐”“勤俭节约”等。这时，儿童能够用较为抽象的道德规范来评价道德行为的是非、善恶，并能在类似的道德情境中发生迁移。

（二）道德评价能力的发展

道德评价是指儿童运用头脑中的道德观念来评价和调节他人或自己的道德行为的能力，是从小学时期才逐步开始形成的。具体说来，小学儿童道德评价的发展有以下几个特点。

1. 从他律到自律

小学儿童的道德判断是从依赖成人的评价为标准逐步发展到以自己独立的内在评价为标准。研究发现，在6～8岁儿童的观念中，所谓不良行为就是违反了成人的命令或做出成人不允许的行为。随着儿童抽象思维的发展和辩证逻辑思维的萌芽，高年级的小学生对于老师的话不再盲目听从，逐渐表现出自己的独立性，能够逐渐根据自己的观点来评价他人的行为。

2. 从效果到动机

小学儿童的道德判断从依据行为后果逐渐发展到依据行为的动机和意图，最后发展到将动机和效果联系起来分析。研究发现，7岁前儿童大多从客观效果上看待问题，即从错误大小上评价一个人的道德行为；9～10岁儿童能够从动机上判断道德事件；到了初、高中阶段，儿童可以将动机和效果联系起来分析。

3. 从“对人”到“对己”

由于小学儿童自我意识尚在形成中，小学儿童对自己的行为进行道德判断的能力往往落后于对别人行为的道德判断能力，表现为评价别人时比较清楚、全面、严格，评价自己就比较模糊、片面、宽松。到了小学高年级，儿童的自我意识得到发展，开始关心自己的内心世界，能够运用道德规范来评价自己的行为。

4. 从片面到全面

即从带有较大片面性的道德判断发展到较全面的道德判断。一般说来，小学低中年级儿童进行道德判断时，比较简单化，考虑问题的角度单一，容易受个人情绪和情境条件的影响。例如，一个有很多优点的人，可能由于一次小的过失而失去儿童的信任：或者一个有很多缺点的人，可能由于一次小的成功而获得他们的信任。

二、小学儿童道德认知的培养

培养小学儿童的道德认知，要注意从以下几方面入手。

（一）形成儿童积极的态度定势

儿童的态度定势是由先前的教育影响而形成的。例如，一个学生可能会由于教师给自己留下的不良“第一印象”而形成有关这个教师的消极心理定势，继而对教师的教育要求产生抵触心理，这就会影响品德教育的效果。因此，要使儿童形成积极的态度定势，教师必须做好以下几点：

1. 教师应做好榜样

教育学家加里宁曾说过：“教师每天仿佛都蹲在一面镜子前，外面有几百双精细的、富于敏感的、善于窥伺出教师优缺点的孩子的眼睛，不断地盯着……”教师在道德教育中的示范作用是巨大的，学生总是以老师作为模仿效法的对象，老师的思想、品德、行为、习惯都会在学生的心灵深处留下烙印，对学生的成长起着潜移默化的作用。因此，教师应当严格要求自己，处处为学生作出正确表率，给学生留下良好的印象。

2. 要建立良好的师生关系

“亲其师，信其道”，儿童只有切身感受到教师对他们的真诚、信任后才会主动接近教师，听从教诲。

阅读专栏 8-2：米斯切尔成人言行一致对儿童影响的实验

米斯切尔设计并进行了一项关于成人言行对儿童行为影响的实验。这个实验以游戏的方式进行，让儿童按照一定的规则将木球投入球门，投中者得分，得到 20 分以上者就可以得奖。实际上，如果严格按规则进行投球，得分机会很少，如果偷偷犯规，则可以把球投中，因而得分机会较多。

第一阶段，大人与儿童一起玩，把儿童分为两组，第一组，成人的言行是一致的，既要求儿童遵守规则，自己也严格遵守规则；第二组，成人的言行不一致，成人要求儿童严格遵守规则，但自己却降低标准去投球，即违反了规则。观察发现，当成人在场时，第二组儿童还是按照规则去做。

第二阶段，让儿童独自玩此游戏。研究的结果是：第一组得奖的人次只占总人数的1%左右，第二组得奖的人次达到50%以上。这说明第一组儿童严格遵守了规则，而第二组儿童当成人不在时降低了标准，违反了规则。

第三阶段，把两组儿童放到一起玩，结果是第一组儿童看到第二组儿童不遵守规则，自己也效仿。这个实验充分说明了身教重于言教。因此，作为教育者一定要言行一致，才有助于学生形成正确的道德观念。

资料来源：刘国权．小学教育心理学[M]. 北京：人民教育出版社，2005：229.

（二）加强儿童对道德行为准则的理解，形成正确的道德观念

有针对性地进行教育教学，说理论证要充分，要符合儿童的年龄特征、道德认识发展水平和当时的心理状态，并要注意既要在认识上影响儿童，又要在情感上打动儿童。

提供必要的具体事例，形象地进行榜样教育，发展儿童的分析决断能力。运用变式剔除同类道德现象中的非本质特征，突出其本质特征，帮助儿童形成正确的道德观念。

消除儿童的“意义障碍”。“意义障碍”是指儿童由于某些心理及社会原因在接受道德教育过程中表现出来的心理障碍，主要有道德认知障碍与情感障碍两大类，意义障碍会阻碍儿童对道德要求的真正理解，从而不能把这些要求转化为自己的需要。在道德教育的过程中，导致儿童产生意义障碍的原因有很多，例如儿童知识经验的局限，成人提出的要求不符合儿童的实际需要，成人对儿童提出的要求朝令夕改或不严格执行致使儿童无所适从等。一旦出现了“意义障碍”，教师或家长应当针对具体情况及时疏导，消除隔阂和误会，帮助儿童提高道德认识。

（三）引导儿童进行道德评价活动，促进道德评价能力的发展

教育者要经常进行道德评价的示范或提供评价的榜样，如分析教材中的模范人物、先进事迹，介绍报刊中对人们某些行为的评论等。运用集体讨论法，启发儿童积极思维，通过讨论明辨是非，做出正确判断，从而形成正确的道德观念。

第三节　小学儿童道德情感的发展与培养

道德情感是人的道德需要是否得到满足所产生的一种内心体验。它是在道

德认识的指导下对道德事件所持有的一种态度。例如，对良好的行为表示愉快、满意、喜爱；对不良的行为表示厌恶、愤怒、憎恨。道德情感是促进学生道德认识发展的催化剂，也是促使学生道德认识转化为道德行为的动力因素，渗透在人的道德认识和道德行为之中。

一、小学儿童道德情感的发展特点

研究表明，小学生道德情感的发展是一个从外部控制向内部控制转移的、不断内化的过程，具体表现出以下特点：

1. 道德情感的发展具有不平衡性

在小学阶段儿童道德情感的发展表现出不平衡性，小学三年级是道德情感发展的转折期和关键期，义务感最强烈，荣誉感次之，良心和爱国主义情感出现较晚。

2. 道德情感体验从不稳定过渡到稳定状态

低年级儿童在受到一定的道德形象感染时，对道德形象内涵的理解是肤浅的，在把特定的道德形象作为自己的榜样时，具有狭隘和模糊的特点。儿童只注意到道德形象的表面性，更侧重道德形象的行为习惯和谈吐方式，其心目中的道德形象并不稳定。到了高年级，在教育的影响下，他们的情感才变得初步深刻和比较稳定。

3. 道德情感从表面向深入过渡

对于低年级儿童来说，越具体形象的道德知识，越容易使他们产生情感共鸣。他们对具体的、与现实生活相近的道德行为容易产生深刻的道德情感体验，而对抽象的道德品质的认识与体验还不够深刻。到了高年级，儿童接受了一定的道德理论教育，并在实际生活中不断概括、深化各种道德体验，他们已经能对某些社会问题和社会观念产生抽象的道德情感，但是仍然不够深刻。

二、小学儿童道德情感的培养

在品德心理形成过程中，道德情感有着特殊的重要性。我们应从以下几个方面培养小学儿童的道德情感。

（一）提高儿童的道德认识能力

小学生对人或事物的认识正确与否，直接影响其道德情感的发展。教师应善于深入浅出地通过说服教育，讲解道德规范及其意义，帮助学生提高道德认识。同时，教师在讲述道德范例、分析道德准则时应以鲜明的态度使学生在领会要求的同时，体会其蕴涵的情感。

（二）创设教育情境，陶冶儿童的道德情感

教师需要在具体的教育实践中通过创设道德教育情境塑造学生的道德情感。首先，教师应爱护学生、关心学生、做学生的知心人，以热情和诚挚的情感来感染学生。其次，重视培养儿童集体的情感力量，使儿童感受到集体的温暖，产生与集体的情感共鸣。再次，教师要充分利用课本、戏剧、小说中的主人公以及生活中的先进人物所具有的勇敢、正直等道德品质，引起儿童道德情感的共鸣。最后，教师要组织有教育意义的活动，使学生在实践某种道德观念的实际行动中产生相应的道德情感。

（三）培养移情能力，提高儿童调控情感的能力

移情是指儿童在察觉他人情绪反应时所体验到的与他人共有的情绪反应，是理解和共享其他人情感的能力，高移情能力可促使人们做出利他行为。因此，培养儿童的移情能力是道德教育的重要目标，要让儿童学会关心别人，与别人共享快乐、分担痛苦。教师可以运用“角色扮演法”，鼓励学生从其他人的立场去考虑同一个道德问题，进行换位思考，体验他人的道德情感，从而理智地控制自己的情感，养成监督自我情感的习惯，从而提高儿童调节和控制道德情感的能力。

第四节　小学儿童道德行为的发展与培养

道德行为是一个人道德水平的外在表现，是衡量儿童道德品质高低的重要标志。

一、小学儿童道德行为的发展

（一）关于儿童道德行为水平的划分

我国心理学工作者根据儿童道德行为的表现将其概括为四种水平。

第一，受外在监督的道德行为水平。儿童最初的道德行为是在社会、集体、他人的监督下表现出来的。

第二，效法榜样的模仿性道德行为水平。儿童的道德行为是在榜样的行为模式影响下表现出来的，它不带有强制性，具有情境性、主动性和形象性等特点。

第三，形成道德习惯的道德行为水平。儿童已经形成与一定的道德需要相联系的、自动化的行为方式，并将其逐渐转化为内在的道德品质，不再需要他人的监督。

第四，独立自觉的道德行为水平。儿童已经把社会道德规范和要求转化为

自己的直接道德需要，遇到干扰和困难仍能坚持道德行为。

（二）小学儿童道德行为发展的特点

1. 道德认识与道德行为不同步

研究表明，小学儿童的道德行为同时存在两种倾向。一种倾向是低年级儿童的道德行为先于道德认识。他们可以很好地遵守某些规范，但由于认识水平的限制，对道德行为规范的认识却很肤浅，道德行为常由一些具体的、表面的动机所引起。例如，对“儿童为什么要遵守纪律”的问题，儿童通常有这样几种答案：第一，服从老师的要求；第二，为了得到表扬；第三，为履行班级或少先队的义务，为集体争光。到了中、高年级，儿童的道德认识先于道德行为，他们已经对某些道德规范形成了初步认同，但在实际生活中行为却不能与认识保持一致，即出现言行不一致的现象。这与该阶段儿童自我约束能力的不足有关，道德行为需要意志努力，尽管儿童了解道德要求，但在行动时却不按照这些道德准则去行动。

阅读专栏 8-3：儿童替代强化实验

实验中，先要求一群 5 岁的儿童参观许多非常吸引人的玩具，并告知他们“不许玩这些玩具”。然后分成三组，前两组分别看不同的电影短片：第一组是榜样-奖励组，影片情节是一个小孩正在玩大人规定不许玩的玩具，孩子母亲看见了，不仅不阻止，反而高兴地和他一块玩；第二组是榜样-批评组，影片情节类似，不同的是孩子的母亲严厉地批评了他，小孩马上放下玩具，用毯子捂住脸，显得很害怕；第三组是无榜样组，不给看电影。

随后，让每一个孩子都单独在玩具房间里逗留 15 分钟。第一组的儿童很快就开始玩玩具，平均克制时间仅 80 秒；第二组儿童则保持了长得多的克制时间，平均达 7 分钟，最长的 15 分钟内一直不动；第三组介于两者之间，平均为 5 分钟。

资料来源：范丹红．心理学（小学）[M]. 北京：北京大学出版社，2018：132.

2. 道德行为由外部调节向内部控制过渡

小学低、中年级儿童的道德行为一般是在教师和父母的要求下出现的。到了高年级，儿童调节行为的力量开始由外部控制向内心自觉的方向过渡，逐渐把教师或父母的要求转化为自己内在的道德需要，道德行为的自觉性得到发展。

3. 道德行为习惯逐步养成

研究发现，小学儿童道德行为习惯的发展水平呈“马鞍形”，即低年级和高年级较高，中年级较低。这种现象说明低年级儿童在教师的要求下，通过行为规范的训练掌握了一些具体的道德规范，还没有形成自觉的道德行为习惯，还处于一种依附性很强的“家长和教师的权威”制约阶段；进入中年级，由于独立性的发展，不少儿童显得不那么“听话”，处于外部控制影响力减弱而内部控制尚未建立的时期，导致道德行为习惯水平的下降；大约四年级以后，儿童道德行为习惯水平开始上升，此时儿童道德行为习惯已经带有一定的自觉性，开始向内心自觉的方向过渡。

二、小学儿童道德行为的培养

道德行为是在道德认识与道德情感推动下产生的涉及道德意义的行动，它是道德品质的外显标志。道德行为的形成包括两个方面：一是道德行为方式与技能的掌握；二是道德行为习惯的形成。因此，培养小学儿童道德行为主要应从以下几方面着手。

（一）教给儿童正确的道德行为方式

第一，通过行为规范的讲解与练习，使儿童了解学校生活中最基本的行为要求，懂得最基本的行为方式。

第二，通过品德课或故事的讲述，使儿童理解英雄模范人物行为的合理性并为学生树立学习的榜样。

第三，组织儿童讨论总结他们自己在道德行为表现过程中的成功经验和失败教训，让他们知道怎样行动和为什么这样行动，还可以运用对比使学生区分正确与错误的行为方式，提高学生自我选择道德行为方式的能力。

（二）培养儿童良好的道德行为习惯

1. 制定行为规范，约束儿童的行为

许多研究证明，团体规范有利于态度和行为的改变。培养小学儿童的道德行为习惯要从小学儿童的日常行为规范抓起，通过制定详细、具体的行为规范，要求儿童必须遵守，同时要进行严格的监督和检查来约束儿童的行为。

2. 提供良好的榜样，训练儿童的道德行为

儿童有着模仿的天性，国内外的实验都表明，榜样对儿童行为的影响是巨大的。通过学习榜样并开展对比训练活动，儿童可以以榜样为镜子，对照自己，推动自己主动实施道德行为，控制自己不符合道德要求的念头和行为。在进行榜样学习时与说服诱导结合起来。选择榜样时，应可敬、可信、可亲，符合儿童年龄特征，同时注意纠正儿童模仿中可能出现的“偏差”。

3. 通过实践形成儿童的道德行为习惯

教师可以通过“角色扮演”活动，促进儿童的良好道德行为习惯的形成。

在实际教育活动中，我们可以指定行为不良的学生担任班干部，负责对其他学生的不良行为进行检查或纠正；在全班实行一日班长制、班干部轮流制、一周班主任制等。这些角色扮演活动可以使扮演者深受活动中角色的影响，使其坚持养成某种角色的行为习惯，形成正确的道德行为。

思考与练习：

1. 皮亚杰将儿童道德认知分为哪些阶段？
2. 皮亚杰道德认知发展理论对我国小学道德教育有何启示？
3. 简述柯尔伯格道德认知发展理论。
4. 简述柯尔伯格道德认知发展理论对我国小学道德教育的启示。
5. 如何培养小学生的道德认知？
6. 小学生道德情感的发展有哪些特点？
7. 如何培养小学生的道德行为？

第九章　小学儿童的心理健康与维护

学习目标：

1. 了解小学生心理健康的标准。
2. 掌握影响小学生心理健康的因素。
3. 掌握小学生适应不良、厌学等心理问题的表现。
4. 了解小学生攻击性行为、说谎等行为问题的成因。
5. 了解小学生常见的心理障碍的表现。

内容概要：

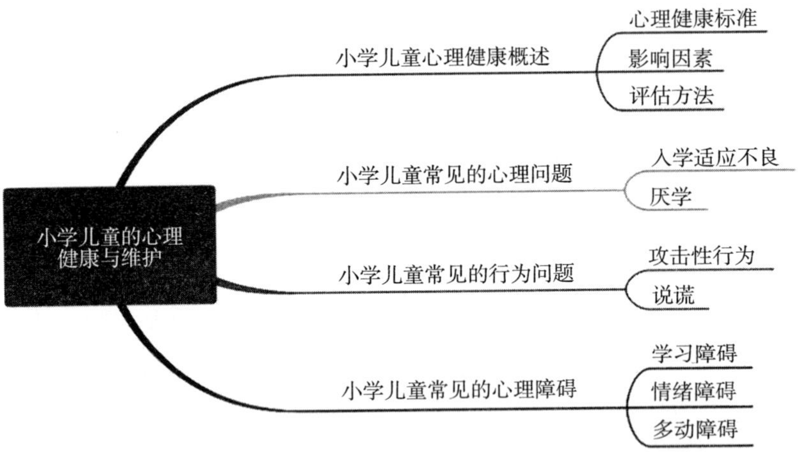

案例导读：

小龙，男孩，今年8岁，独生子，上小学二年级，家庭基本和睦，无家族精神病史。上学后学习成绩很差，处于全班下游水平，读课文时常常丢字、落字，经常把 8 写成 3、6 读成 9，写字速度很慢而且大小不一。家人和老师都发现他很聪明，玩游戏总是很积极，但上课时却不能集中注意力听讲，身体总是动来动去，状况百出。据老师反映，他上课时总喜欢到桌子底下去捡橡皮擦，有时一节课橡皮擦能掉十多次，有时候明明掉的不是他的东西他也会去捡。并且，他不尊重老师，对老师让他回座位的要求不屑一顾，经常弄得全班同学哄笑不已，批评罚站都用过了但也无济于事。作业也不能按时完成，每天回家第一件事就是看电视，写作业总要家人陪着并且每天都要写到 11 点，一开始做作业就频繁上厕所。无论是吃饭还是起床，都需要家人反复去叫。他的人际关系很糟糕，容易与别人起冲突，一会把这个同学推到了，一会又打同学一巴掌或踢同学一脚，或令人生厌地玩弄同学的东西。

思考：你知道案例中的小龙为什么会有这些表现吗？

随着社会的发展，现代生活的日益复杂和竞争压力的增大，小学儿童在学习、生活、人际交往和个性发展等方面可能会面临各种心理困惑。小学儿童的心理困惑和压力如果得不到及时的疏导和排解，不仅会影响他们现在的成长发育，还会为他们未来的人生发展埋下隐患。因此，作为一名小学教师，关注小学儿童的心理健康，研究他们心理问题的表现及形成原因，科学地解决小学儿童常见的心理和行为问题具有重要意义。本章重点探讨小学儿童心理健康的标准、常见的心理问题和心理障碍，以及小学儿童心理健康的维护策略。

第一节　小学儿童心理健康概述

一、小学儿童心理健康标准

综合国内外专家和学者的观点，根据小学儿童的心理发展特征以及学校心理健康工作实践，可将小学儿童心理健康的标准归纳为以下几个方面。

（一）智力正常

智力发育正常与否是衡量小学儿童心理健康的重要标准之一。智力是指人认识事物和运用知识、经验解决问题的能力，主要由注意力、观察力、记忆力、思维力和想象力组成。正常的智力水平是小学儿童学习、生活和成长所必需的最基本的心理条件，也是小学生心理健康的基础。如果一位小学儿童的智力明显低于同龄人的水平，则属于智力发育不正常。一般认为，智商低于 70 分则为智力低下，正常智商为 90～110 分，智商 130 分以上者为超常儿童。

（二）情绪乐观、稳定

心理健康的小学儿童，心境良好，愉快、乐观、开朗等积极情绪状态占主导心境，但同时又能随认识对象的变化而产生合理的情绪变化。此外，还能在不同的场合，适当地调控自己的情绪。

（三）人际关系和谐、融洽

心理健康的小学儿童善于理解、尊重、信任和帮助他人，以真诚、谦让的态度发展和保持和谐的人际关系，乐于与人交往。相反，远离亲友、集体，总是独来独往，意味着人际关系的失调，与集体总是格格不入，没有友伴，很少与人往来，也是人际关系不良的表现。

（四）行为反应适度

人的行为反应是存在差异的，有的人反应敏捷，有的人反应迟缓。对事物的反应强度应视事物作用大小而定，反应异常敏感或异常迟钝都属不健康的表现；对重大刺激无动于衷，反应微弱是不正常的现象；而对任何事物都反应强烈，一点儿小事就大惊小怪，惶惶不可终日也是心理反应不良的表现。

（五）心理与行为符合年龄特征

不同的年龄阶段有不同的心理和行为特征。心理健康的小学儿童，应具有与自己年龄特征相符的心理和行为，如果心理和行为经常偏离自己所属的年龄特征则是不正常的。

二、小学儿童心理健康的影响因素

影响小学儿童心理健康的因素是多方面的，从整体上看，是由生物学因素、心理因素和社会环境因素相互作用的产物。

（一）生物学因素

1. 遗传因素

一般说来，人的心理活动和行为是不能遗传的，但是，一个人的气质、能力与性格的某些成分等都会受到遗传因素的明显影响。统计调查数据及临床观察经验都表明，精神病患者家庭中的亲属患有精神病的易感性更高，儿童注意缺陷多动障碍、情绪障碍、精神分裂症、抑郁症、狂躁症等也与遗传有一定的相关性。

2. 脑损伤和机能障碍

各种物理、化学、生物有害因素一旦损害了儿童的脑组织，就可能阻碍儿童心理发展。比如，由于外部机械力作用造成的脑震荡、脑挫伤、脑裂伤、脑水肿、颅内出血等脑功能损伤，会导致癫痫、痴呆等严重后果；儿童时期患过中枢神经系统的传染病，会造成脑损伤，从而引起儿童智力迟滞或痴呆。铅中毒会损害儿童脑功能，一项儿童铅中毒的流行病学调查指出，我国儿童铅中毒率高达 10.45％，铅中毒者可能出现急性脑病综合征，患儿精神迟钝、情感淡漠、智力下降，并出现人格改变①。总体而言，年龄越小的儿童脑组织越易受伤，产生的问题越严重；不过，年龄越小，脑的代偿能力也越强。

（二）社会环境因素

1. 家庭因素

家庭是儿童生命的摇篮，是儿童出生后接受教育的第一个场所。家庭的结构类型、家庭职能、家庭环境、家庭观念是影响小学儿童心理健康的重要因素。虽然随着儿童年龄的增长，家庭的影响在减弱，但是儿童时期在家庭中所受到的影响却是一生都无法消除的。家庭对小学儿童心理健康影响较大的因素可以归纳为以下几个方面。

（1）家庭结构。家庭结构是指家庭中成员的构成及其相互作用、相互影响的状态。家庭结构分为三大类型：“扩大型”家庭结构、“核心型”家庭结构和“破裂型”家庭结构。“扩大型”家庭结构，即“三代同堂”。“核心型”家庭结构，即由父母及其孩子组成的小家庭。“破裂型”家庭结构即父母一方早亡或父母离异后形成的家庭。不同的家庭结构对儿童的身心发展有着不同的影响。研究发现：生活在不完整家庭中的中小学生出现心理健康问题的比例为 13.8％，而完整家庭中儿童出现心理健康问题的比例为 0.2％，这充分说明健全完整的家庭结构对儿童的心理健康发展有积极作用②。

（2）教养方式。心理学中，把父母教养方式归纳为两个维度：接受—拒绝维度和控制—容许维度，根据这两个维度的不同组合，可以形成四种教养方式：权威型、专断型、溺爱型、忽视型③。研究表明，权威型教养方式最有利于孩子的成长，这是一种理性且民主的教养方式，父母在孩子心目中有权威，这种权威来自父母对孩子的理解与尊重，来自他们与孩子的经常交流及对子女的帮助。父母为孩子设立恰当的目标，对孩子的行为作出适当限制，并且奖惩分明。这种教养方式下的儿童独立性较强，自尊感和自信心较强，善于自我控制和解决问题，喜欢与人交往并具有一定的社会责任感。专断型父母则要求孩

---

① 张金良，何康敏等．中国儿童血铅水平及变化趋势研究[J]．环境与健康杂志，2009，26（5）：393-398.

② 陈金莲．论浅析家庭结构对儿童身心发展的影响[J]．儿童大世界，2017（7）：142.

③ 周宁．小学儿童心理发展与教育[M]．合肥：安徽教育出版社，2014：110.

子绝对地服从自己，对孩子的要求很严厉，提出很高的行为标准，这种教养方式下的儿童常常表现出焦虑、退缩和不快乐，自我调节能力和适应性都比较差，缺乏社会责任感。溺爱型的父母对孩子充满了爱与期望，但对孩子缺乏控制和要求，对孩子违反规则的行为采取忽视或接受的态度，很少发怒或训斥儿童，这种教养方式下成长起来的儿童表现得很不成熟，自我控制能力很差，常以哭闹等方式寻求即时的满足，对父母依赖性很强，缺乏自信、毅力和责任感，具有较强的冲动性和攻击性。忽视型的父母对孩子的成长表现出漠不关心的态度，既缺乏爱的情感和积极反应，又缺少行为方面的要求和控制，这种教养方式会使孩子出现适应障碍，对学校生活缺乏兴趣，学习成绩和自控能力差，具有较高的攻击性，感情冷漠，并且在长大后会表现出较高的犯罪倾向。

学 以 致 用

案例一：豪豪是一个性格外向，好动，喜欢表达的孩子。父母工作较忙，没有时间陪伴豪豪的成长，豪豪大部分时间由爷爷、奶奶照料，老人对他百依百顺。豪豪比较任性，学习专注时间极短，上课时经常离开位置，或者常嚷着要去厕所，只有在老师斥责下才会有所收敛，但很快又故态复萌。在活动中表现霸道，几乎每天都被老师批评。但是语言表达能力强，智商高、知识面广。他不懂与人相处，易发脾气，经常被同学告状，不乐意听取同伴与老师的要求与建议，有时会故意做一些令人讨厌的事情。

案例二：小俞，男，10 岁，小学五年级学生，父母离异，和妈妈一起生活。开学一个星期时还能正常完成各科作业，但是一周后经常不做作业，妈妈、老师批评后，就把自己反锁在家里，不上学、不说话、砸东西，逃避他人。经了解，小俞的爸爸是个简单粗暴的人，爸爸和妈妈都是再婚，但小俞的爸爸仍不珍惜这段婚姻。在小俞年幼的时候，就经常受到爸爸的打骂，但是，当爸爸心情好的时候，又会满足儿子一切合理与不合理的要求，这就造成了他既胆小怕事又固执任性的性格特点。两年前，父母离了婚，使小俞受到很大打击，加上妈妈常常在小俞面前哭诉自己的不幸，使这个小孩情感更加脆弱，心理压力更大，觉得自己在同学面前抬不起头来，干脆就把自己反锁在家里，不去上学，采取有意回避的态度，压抑自己。

思考：你认为导致以上案例中的儿童出现心理问题的原因有哪些？

（3）家庭应激事件和经济条件。家庭中发生的一些生活事件可以直接或间接地损害儿童的心理健康，其中最为严重的生活事件莫过于父母死亡，其次是父母离异、分居或长期争吵或冲突。家庭应激事件对儿童心理健康的影响，除了与应激事件的性质有关外，还与两类因素有关：一类是儿童年龄、性别、心理发展水平和气质类型等自身因素；另一类为家庭环境条件，如家庭经济状况经济支持等。

2. 学校因素

（1）学习负担过重。随着社会竞争的加剧，小学儿童的竞争压力也越来越大，学校重分数、轻能力，重智育、轻心育的现象依然存在。考试分数仍旧是教师评价学生、社会衡量学校的主要标准。由学习失败带来的挫败感会使一些小学生自信心降低，产生焦虑、苦闷、压抑、恐惧等不良心境，这些不良的情绪体验长期持续下去，就会导致不同程度的心理障碍。

（2）教师错误的教育观念与教育方法。教师在小学儿童心目中的威望是包括家长在内的其他人所无法比拟的。正因为如此，教师的教育态度与教育方式对学生的影响是十分明显而深远的。但是，部分小学教师自身素质不高，在教育观念和教育行为上存在一定的偏差，这就会对小学生的心理健康造成直接的不良影响。比如，不能用平等的态度对待学生，不尊重学生的人格；教育方法简单生硬，变相体罚的现象仍然存在；还有一些教师存在心理不够健康的表现，如过于情绪化，对学生的态度极易受自身情绪的影响，缺乏应有的自制力，这种消极的和不稳定的情绪常常是造成部分学生心理问题与心理障碍的原因。

（3）班集体中不良环境与风气的影响。班集体是学生在学校中学习和生活的基本单位，同时也是学生完成社会化过程的重要场所。班级中如果存在某些不利于学生发展的因素，将会对学生产生深刻而持久的消极影响。当前在班级中导致小学生出现心理健康问题的原因有：一是部分学生在班级中地位偏低，在班级中长期受忽视或排斥，容易形成严重的自卑心理、敌对情绪和逃避倾向，这可能导致人际交往障碍；二是班级中存在欺负行为，如果教师不能及时地发现和解决问题，则很可能使部分学生产生紧张、恐惧等不良情绪。

3. 社会因素

（1）生活环境的影响。社会政治、经济生活状况是决定一个人生活方式的最重要的基础。在社会生活中，政治、经济地位往往会对人们的价值观念、交往方式和生活态度等方面产生重要的影响。尤其是在社会转型时期，由于社会竞争加剧、收入差距拉大等因素导致人们精神压力增大、挫折感增多，人与人之间的信任感下降，这一切都增加了成人的焦虑感，进而成为导致中小学儿童情绪不稳定的因素。

（2）现代传媒信息的负面影响。随着现代科学技术的发展，电视、网络、报刊、电影等现代传媒信息中暴力行为的渲染，容易使缺乏辨别能力的小学儿童去模仿和学习。一些地方网吧等娱乐场所管理不当，对未成年学生开放，一些小学儿童沉迷于上网、玩游戏等，容易产生孤僻、攻击性行为以及与社会的隔离感等问题。

（三）个体因素

1. 身心发展速度不均衡

一般来说，8岁儿童的大脑重量已接近成人水平，但是，由于他们的阅历浅、知识和经验不足，其认知能力、理解能力、思维能力都远远落后于成人，因此，该阶段儿童面临着心理水平与生理成熟发展速度不协调的问题。另外，小学高年级的儿童处于青春前期，随着自我意识的觉醒，常处于依赖与逆反、独立与孤独、放开心灵与闭锁心灵的矛盾冲突之中，如果这几方面的矛盾不能顺利解决，就可能产生焦虑、挫折等情感体验以及行为上的反常，严重者甚至会形成异常人格。

2. 心理发展过程不协调

心理发展过程不协调主要是指儿童心理发展过程中认识、情绪、情感和意志发展的不协调。如小学生的认识过程出现障碍会导致情感不稳定，冲动性行为增加，他们的情感过程发生障碍会导致意志薄弱，产生焦虑和不必要的疑虑等。

3. 生理的缺陷

遗传或突发的意外事件给个别小学生造成了生理机能的缺陷或伤害，这容易使他们在与同伴交往中产生自卑、社交退缩等心理问题，因而需要给予他们更多的关心和帮助。

三、小学儿童心理健康水平的评估方法

有效评估小学儿童心理健康状况的方法有很多，每种方法都可单独使用，但都有其局限性。在实践中，通常需要综合使用各种方法，才能产生获得较为准确、充分的评估效果。

（一）环境适应判定法

良好的环境适应能力是衡量小学儿童心理健康水平的重要标准。环境适应主要包括社会适应和生活适应两方面。小学儿童的社会适应主要是指能够适应学校生活，能够遵守学校规范，与老师、同学和谐相处，并能正常完成学校的学习任务；生活适应主要是指儿童能够独立完成与他们的年龄相适应的活动，表现出

与外在生活情境相一致的情感、言语和行为。例如，有的儿童害怕上学，只要一提到上学就感觉不适，这就是不适应环境的表现。又如，大多数小学儿童都能完成正常的学习生活，而有的儿童智力虽正常，学习成绩却很差，且易与同学发生冲突，这也是不能适应学校生活的表现，需要专业机构的帮助。

学以致用

阳阳读六年级，每到上学前，她总是以肚子疼为理由，不肯去学校。同时，阳阳的社会交往活动也在减少，她成天想待在母亲身边，她变得非常不爱说话，看起来很忧伤和不快乐，回避与家人和同学交往。此后不久，她开始抱怨睡眠和胃口不好。几乎同时，她的学习成绩也开始下降，从中上等降到中等，再降到差。她认为没有人喜欢她，自己什么事情也做不好，生活毫无希望。

思考：你认为阳阳是否需要接受专业的心理辅导？

（二）症状观察法

这是通过观察小学生在自然情境中的行为表现，来判断其是否存在某些心理异常的症状，并对学生的心理健康状况进行判定的方法。

（三）心理测量法

这是采用专门的心理测量工具对被试某些心理属性做出测定，从而判定儿童心理健康状况的方法。常用的儿童心理测验包括韦氏儿童智力测验、儿童主题统觉测验、完成句子测验、艾森克儿童人格问卷、儿童行为问卷等。

第二节　小学儿童常见的心理问题

小学儿童的心理问题主要指小学儿童在心理发展过程中出现的心理冲突、困惑以及不适应学习、生活的现象。这是每个儿童都可能经历的轻微心理失调，是一种通过自己的努力或同伴、成人的帮助可以进行调整的一种心理状态。小学儿童常见的心理问题主要包括入学适应问题、学习方面的问题、人际关系问题和行为问题等方面。小学教师应该了解小学儿童常见心理问题的表现，并积极开展心理辅导。

一、入学适应不良及辅导

小学一年级是幼儿教育与小学教育衔接的重要转折时期，儿童从以游戏为主要活动形式的幼儿园进入以学习为主要任务的小学，接受正规学习成为其主要任务。初入学的小学生面临着学习环境的变化、学习方式的不适应、同学关系、师生关系的改变、社会期望的增强等挑战。尽管孩子们的学习、生活方式发生了诸多变化，大部分的孩子都能够正确应对这些“不适应”，然而，有一些孩子却会出现“入学适应性问题”。

（一）小学生入学适应不良的界定

小学入学适应不良是指儿童在从幼儿向小学生过渡的阶段，因不能根据学习条件的变化积极主动进行身心调整，导致学习成绩和身心健康达不到应有发展水平的现象①。

（二）小学生入学适应不良的具体表现

初入学的小学生面临着新的环境、新的学习方式，会有一些儿童出现入学适应不良，具体表现在以下方面：

1. 学习时间的不适应

幼儿园每天集体教学的时间大约只有 2 小时左右，其他时间基本上是游戏和其他生活活动，而小学生每天集体教学时间大约为 7 到 8 小时，这对新入学的小学生来说是一种巨大的挑战，他们会因此感到疲惫、厌倦。

2. 规章制度的不适应

进入小学，孩子们就面临着规章制度的约束，而幼儿园对孩子们的约束相对比较宽松。小学生必须按时到校上课，不能迟到、早退；要自己整理书包，自觉带齐各种学习用具；要遵守课堂纪律、专心听讲，记住老师留下的作业并且认真完成；要轮流当值日生、打扫卫生，积极参加集体活动。相对于幼儿园时期，这对孩子的自制、自理能力来说是一种考验，这就导致一些小学生难以适应，出现紧张、焦虑、拖拉等不良的反应。

3. 学习内容的不适应

幼儿园虽然也上课，但幼儿活动毕竟是以游戏为主。在小学，儿童要学习许多工具性的知识，而且要掌握读、写、算的基本技能，这些知识和技能在成年人看来虽然比较浅显，但对于他们来说却比较困难。在入学初期，无法适应教学方式、无法明白学习内容的孩子往往会体会到较大的压力。

4. 教师教学风格的不适应

幼儿园的教师主要是引导儿童在游戏中积累经验、增长知识，更强调动手操作，在教学上多是以师生共同活动的形式进行组织，而小学的学习则有着严格的教学大纲，教师必须按照教学计划严格实施。因此，学生需

---

① 杨雪梅．儿童的学校适应研究综述[J]．四川心理科学，2002（2）：21.

要形成以听讲为主的学习方式，教师的教学风格和教学组织形式与幼儿园阶段形成了鲜明的对比，对学生要求更为严格，儿童会体会到由此带来的不适应感。

5. 师生关系的不适应

一般来说幼儿园每个班级实行“一教一保”的教师搭配形式，通常会有一位教师和一位保育员照顾儿童，老师更多充当照顾者的角色。然而，进入小学之后师生互动模式、相处时间发生了很大变化，一个班通常有5～6个科任教师，每班只有一个班主任，老师更多充当知识的传授者角色，单独关照儿童的时间明显减少，所以，儿童需要学会自己解决一些困难，从而造成小学生在入学初期主观上的一些担忧。

学 以 致 用

小宇是某小学一年级新生，父母对他非常宠爱，很少批评他。可是，小宇的父母发现，自从上小学以后，小宇的话越来越少，而且吃东西也不如以前。从前那个活泼、调皮的孩子像完全变了个人似的，有时会无缘无故乱发脾气，早上一起床，就嘟囔着不愿去学校。父亲有些担心，就去学校向老师了解情况。老师也说不出为什么，只是觉得他比较内向，不太爱说话，与同学们的交往也较少；一天到晚耷拉着脑袋，无精打采，上课时注意力不集中，也不爱回答问题。父亲问他为什么不积极发言，他说怕回答不正确，挨老师批评。

思考：你认为小宇的这些表现是入学适应不良吗?

（三）小学生入学适应不良的应对策略

1. 家庭层面

进入小学后，作业量增加，学业负担加重，小学生很容易产生心理上的不适，家长在新生入学阶段要注重对孩子学习习惯、学习兴趣、独立能力、集体意识等方面进行教育，使他们能够轻松地度过这一阶段。具体而言，为了避免小学生出现入学适应不良，家长应该从以下方面做起：

（1）带领孩子做实地考察。对于小学一年级新生而言，从熟悉的幼儿园到陌生的小学，学习环境发生了很大的变化。所以，在正式入学之前家长应带着孩子参观新学校，让他们熟悉校园，这样有利于孩子尽快适应新的学校环境，并对学校产生好感。

（2）帮助孩子尽快养成良好的学习习惯。家长应该在日常生活中培养孩子养成良好的学习、生活习惯。比如培养孩子养成带齐学习用品，每天自己整理书包，按时预习复习，认真完成当天作业的习惯。

（3）鼓励孩子与同伴交往。步入新学校，面对的将是与以往不同的老师和同学，此时，孩子面对的困难就是如何与新的伙伴建立起友谊。在家庭中习惯了以自己为中心的孩子往往缺乏同伴交往的意识和技巧，容易在学校处于同伴交往不良的地位，更容易产生孤独感。所以，作为家长应引导孩子学会与人交流，教会孩子和新同学成为友好的小伙伴，同时尽快与班主任老师熟悉起来。此外，还要教给孩子处理与同伴冲突的做法，避免因同伴交往不良出现负面体验。

学 以 致 用

三年级的小月是外来务工农民的子女，在城里读书。她语文成绩只有10分左右，平时在班里非常文静，很少听见她的声音，即使你主动和她交流，也听不清她回答的声音。对于这个班集体来说，小月就像一个局外人。据家长透露，由于孩子在老家长大，没有接受过学前教育，在语言发展、人际关系、知识储备等方面与其他孩子相差巨大，加上内向的性格，与外界环境不熟悉，以及外来务工子女的身份，孩子越来越内向，与人交流头也不敢抬，连一个好朋友都没有，平时在家也只是学习和看电视，没有其他的兴趣爱好。

思考：如果你是小月的老师，你认为该如何帮助她？

2. 学校层面

面对出现的种种适应问题，首先就是学校环境的适应问题。因此，教师应该尽快帮助孩子适应新的校园环境，比如以“参观新学校”作为开学第一课，带着初入校的孩子们到学校的各个角落去走一走、看一看，让他们熟悉校园中的一草一木，感受新环境的可爱，从而激发孩子们对新学校的热爱之情。

（1）引导学生尽快适应学校生活。对于一年级的孩子来说，教师应该向孩子们介绍小学学习生活的各种特点，鼓励他们参与到学习中，要求他们以积极的态度对待学习，争取学习的成功，并体验学习生活的乐趣。

（2）构建良好的师生关系。良好的师生关系能使孩子们有良好的心理环境，心情愉快、情绪稳定是孩子们身心健康发展的重要条件，要构建良好的师生关系，教师要首先真诚地关心和爱护儿童，使孩子在学校获得安全感与归属感。

(3) 帮助学生转变角色。对于每个人而言，身处不同的角色，就有着每个角色所赋予的责任和义务。教师要引导小学生扮演好自己的角色，在家里要承担孩子该承担的义务，比如尊敬长辈，帮爸爸妈妈做力所能及的家务活等等。在学校便要“好好学习各种技能和本领”，引导孩子尽快完成从幼儿向小学生的角色转变。

二、小学生厌学及其应对策略

小学生厌学是一种不良的心理表现，厌学不仅直接影响学生的学业表现，还会危害他们的身心健康，预防小学生产生厌学心理是心理学工作者必须研究解决的一项重要课题。

厌学的界定。从心理学角度讲，厌学是指学生消极对待学习活动的行为反应模式，主要表现为学生对学习的认识存在偏差，情感上消极对待学习，行为上主动远离学习。有研究表明，目前大约有45%左右的二年级以上小学生存在不同程度的厌学心理，其中有20%的学生有较严重的厌学心理。厌学不是特定学生所有的，而是大多数学生在某种程度上共同存在的问题。作为基础教育危机的一种表征，我国小学生厌学现象有愈来愈严重的趋势，无论是发达地区还是欠发达地区、城镇还是乡村，厌学现象都普遍存在。

(一) 厌学的心理学原因分析

1. 成功的学习有赖于充分的学习准备

所谓学习准备，是指学生在从事新学习时，原有心理发展水平对新的学习的适合性。在对学生的调查中发现，由于学习准备不足而导致的厌学现象主要发生在三年级，但根源可追溯至一年级。孩子刚上小学时，学习内容相对比较简单，凭着幼儿园时打下的“基础”，小学一、二年级时的成绩基本上都能保持较高水准，这就给儿童一种学习原来并不难的错觉。三年级开始，教材难度逐渐增加，部分孩子成绩开始逐渐下降，然而他们并没有做好接受这一事实的心理准备，学习上的挫败感是导致学生出现厌学的主要原因。

2. 意志品质差

对于小学生来说，与学习有关的意志品质主要是自觉性、坚持性和自制力。自觉性是指一个人在行动中有明确的目的性。坚持性是指能够长时间地专注做某件事情。自制力是善于控制和支配自己行动的能力。学生意志品质差是导致厌学的一个重要因素，从自觉性来看，现在大多数小学生的学习目的不明确，对学习的认识只停留在为了得到父母、老师的夸赞或为了得到奖品等外部诱因方面，事实上，外在的奖励随着时间的推移会逐渐失去作用。从坚持性与自制力来看，当今小学生多数为独生子女，凡事都由父母为他们安排，学生很少有克服困难、战胜困难的体验。一旦在学习上碰到一点困难，便打退堂鼓，畏缩不前。然而，学习毕竟是一项艰苦活动，需要付出脑力、消耗体力，需要克服人本身的惰性。对学生进行意志力训练，使其认识到学习的艰苦性，指导其克服学习上的困难，体验战胜困难后的愉悦，从而激励自己进行新的学习，形成良性循环，这才是愉快学习所追求的。

3. 不合理、不正确的归因

部分学生的厌学，与成人对他们的归因有关。父母认为孩子学习成绩不好是因为不用功、贪玩，教师认为学习成绩差的孩子又懒又笨。正是因为这样的评价，助长了学生的厌学情绪。心理学对儿童自我意识发展的研究表明：小学儿童对他人的评价和自我评价，大多是重复父母、教师或其他有威信者的评价。当成人把学习成绩的不理想简单归咎为儿童懒惰、不努力时，儿童大多数会接受这种归因，觉得自己真的又笨又懒，无力提高学习成绩。

学　以　致　用

案例一： 李英，女，10 岁，小学四年级学生，一至三年级均是班级学习委员，喜欢学习，是老师心目中的“尖子生”。但由于父母对她的期望过高，要求过严，有一次语文考了 97 分，在班上名列前茅，但父母仍不满意，对她严厉批评。对于孩子的业余爱好，父母也抓得很紧，要求她“琴棋书画”样样精通，稍不用功，便少不了皮肉之苦。在父母的严厉管教下，李英的心理压力很大，学习丝毫不怠慢。但是自从四年级开学以来，她感到力不从心、疲惫不堪，学习成绩明显下降，对学习也产生了厌倦。”

案例二： 赫文辉，9 岁，一年级，成绩较差，尤其是这学期以来，成绩逐步下降。课堂上虽能遵守纪律，但注意力不集中，昏昏沉沉、无精打采，老是趴在课桌上，不肯写作业。有时还会干扰同学听课，同学们也不喜欢他。父母是小商贩，无暇顾及他的学习，也没有心思管他，平时住在奶奶那里。奶奶没有文化，也没有能力管教，因为奶奶说话他根本不听。由于讨厌学习，不想完成作业，又不愿意接受同学的帮助，学习成绩越来越差，导致恶性循环，丧失学习兴趣，对学习越来越厌倦。

思考：你认为导致案例中的小学生厌学的原因是什么？

（二）小学生厌学心理的矫正措施

1. 社会方面

净化社会风气，优化青少年成长的社会环境。丰富学生的业余文化生活，少年宫、文化宫、博物馆、科技馆、体育场馆积极为学生组织各种活动，为他们学习知识、锻炼身体、增长才干、陶冶情操提供方便。管理和监督学校周边的游戏厅、网吧，防止未成年人沉溺其中。

2. 学校方面

对于小学生厌学，学校既要重预防又要重疏导，尽量减轻学生的心理和学业负担，使他们充满信心地学习、生活。

（1）学校内部要转变评价观念和课程结构。现代教育的落脚点是促进每一个学生的发展，这就要求增加学校课程的多样性、层次性和选择性，从而增强学校教育对学生的适应性。只有这样的教育，才会让每个学生对学习产生浓厚的兴趣，感受学习的成功，避免厌学的产生。

学校以分论质、唯分是求的做法是片面的，也是很不科学的。每个学生都有潜能，都有自己的长处，只要有适合他们的学习内容和学习方法，他们都能学好，都可以成为对社会有用的人。

（2）发挥学校各种力量，营造良好的学习环境。学校应举办多种类型的文艺体育比赛，开展各种社团活动，营造良好的学习氛围和环境，为每个学生个性展示和能力发展提供平台，培养他们的主动性，使其在良好的集体环境中形成正确的自我认知。

（3）重视班主任队伍的建设，强化其主体作用的发挥。班主任是学校最基层和最直接的学生思想政治工作者。一个班的班风和学习风气如何，很大程度上取决于这个班的班主任。班主任不但要认真做好教学工作和班级日常管理工作，更要关爱孩子、理解与尊重孩子，密切关注孩子的思想动态和在校表现，防患于未然。对于已经出现厌学倾向的孩子，及时引导，形成班级同学“一对一”帮扶的机制，提高其克服困难的信心与勇气。

（4）加强课堂教学研究，切实提高课堂质量。教师要了解各个年龄段学生不同的心理特征，与学生建立相互理解、相互信任的良好师生关系，努力激发学生的学习兴趣和求知欲。

3. 良好的家庭教育是防治厌学情绪的重要保证

家长们需要从以下方面做起：

首先，家长应注意自己的行为习惯及生活方式。家长是孩子的启蒙老师，家长的一言一行在无意之中起到了潜移默化的作用，家长对学习的态度、学习行为习惯及生活方式等都会在子女身上有所体现。家长乐学好学，孩子受到这种学习氛围的熏陶，自然乐学上进。

其次，家长应正确估计子女的学习能力。应冷静分析自己子女的智力条件，抱着“三百六十行，行行出状元”的心态，努力让孩子在轻松、愉快的学习中体验快乐。让孩子从苦学、厌学变为喜学、乐学，需要家长循循善诱，耐心指点，家长要讲究引导方法。

第三节　小学儿童常见的行为问题

小学儿童的行为问题是教师和家长最为关心的问题，也是小学教育和家庭教育最为棘手的问题之一。小学儿童的不良行为不仅影响儿童个体的学习和人格发展，而且也给周围环境带来不好的影响，严重的甚至会给社会造成危害。小学教师需要了解小学儿童行为问题形成和发展的一般规律，及时予以矫正。

一、攻击性行为

小学生正处于社会性发展的关键时期，不论是攻击性行为还是被攻击性行为都会影响其社会性的正常发展，造成成年后暴力犯罪或行为失调，所以，对于小学儿童攻击性行为要及时地进行系统研究、科学干预。

（一）小学生攻击性行为的界定

攻击性行为是指有意伤害他人的身体行为或者言语行为[①]。小学生攻击性行为是一种比较常见的和典型的行为，指的是当儿童的需求得不到满足，或者自己的权利受到损害时，表现出的以踢、打、咬、用力推搡以及争夺或破坏物体、工具等身体动作或漫骂、侮辱、贬低等言语行为特征的行为。

（二）小学生攻击性行为的类型

攻击性行为从表现形式与攻击意图方面可以分为不同的类型：

1. 从攻击性行为的表现形式可分为言语攻击和身体攻击

言语攻击是指通过取笑、讽刺、诽谤、谩骂等方式对他人进行人格欺侮，或者是恶意造谣中伤他人，破坏别人的社会交往关系。身体攻击是用身体的某些部位或者是有可能造成伤害的工具攻击他人身体。

2. 从攻击性行为的目的可分为敌意性攻击和工具性攻击

工具性攻击是儿童为了争夺物体、“领土”或“权力”而发生的身体冲突，此类攻击性行为的发起者只是想得到他想要的东西或是保护那些他们认为是属于自己的东西，他们的目的不是伤害别人。敌意性攻击是由愤怒所引起，以伤

---

① 苏科，李菁．儿童攻击性行为研究[J].中北大学学报（社会科学版）2006，22（5）：86-87.

害为目的的行为。

（三）小学生攻击性行为的影响因素

1. 家庭因素

家庭是儿童成长的摇篮，每个家庭通过各自的价值标准塑造着孩子的行为，攻击性行为也是与家庭的作用密切相关的。

（1）父母的教养方式。民主型教养方式下长大的孩子具有健全的个性和良好的行为方式，很少有行为问题；放任型教养方式的父母对于孩子表现出的攻击性行为放任自流，于是便助长了攻击行为的进一步发展；专制型的父母对孩子严格约束，对孩子经常的拒绝和排斥会引发儿童的挫折感，导致儿童出现攻击行为。专制型的父母经常使用不恰当的惩罚模式不但不能抑制有害的、不良的敌意行为，反而能增加这些不良行为。

（2）家庭氛围。消极的家庭情绪氛围会使儿童形成自卑、怯懦、冷漠等性格特点，且容易出现不良的社会行为，如攻击欲望强烈等。父母之间的身体冲突则会加剧孩子的攻击性行为，如果子女经常目睹父亲的暴力行为，孩子很有可能模仿这一行为，转而去攻击别人。

学 以 致 用

案例一：芮芮，女，12岁，某小学六年级学生，个子矮胖，较黑，先天性斜视，成绩一般，较喜欢语文，奇思异想。4岁前与母亲生活在家乡河南某市，之后母女随军到某市，就读幼儿园及小学。芮芮先天性的斜视，使得其母给予其极大的怜爱，只要有需要，都会无条件地满足。芮芮性格内向，自尊心很强，特别敏感，与人相处显得任性、霸道、易生气，经常讽刺挖苦同学，甚至动手打与其开玩笑的男同学。人际关系不好，常与同学闹别扭，教师问其原因，说的最多的话是“我讨厌他们!”因而，独来独往，不合群，也不愿参加集体活动。常自言自语，或与草木交谈，边抚摸边喃喃自语。

案例二：康康，男，10岁，小学四年级学生，康康自入校以来经常无缘无故打同学，揪女同学的辫子，上课扰乱课堂秩序，引起班上同学的反感和部分家长的不满。除此之外，康康的学习成绩也很差，经常不按时完成作业，老师也不喜欢康康。在家里，康康不听父母的话，经常发脾气，动辄摔东西，爸爸工作忙，对康康的管教简单粗暴，一不听话，不是打就是骂，康康的妈妈溺爱孩子，康康喜欢看有打斗场面的电视节目，还时不时地拳打脚踢加以模仿，妈妈从不干涉和制止，经常顺着康康。

思考：认为造成案例中的小学生出现这些行为问题的主要原因是什么？

2. 学校因素

学校是儿童接触社会生活的一个重要场所，教师和同伴是影响儿童社会化的重要因素，儿童的攻击行为与学校中的诸多因素有关。

（1）教师的影响。在学校里，每个孩子在教师心目中的地位应该是平等的，教师对每个儿童的评价应该是积极公正的，当一个教师把儿童评为“差孩子”时，便挫伤了“差孩子”的自尊心、自信心，使其处于失败和困境中，不断遭受挫折有可能引起儿童的攻击行为。有的教师对待有攻击性行为的儿童较多的运用惩罚，过多的惩罚会引起儿童的逆反心理，从而进一步加强攻击性。

（2）同伴的影响。同伴之间的相互作用促进了儿童社会行为的发展，儿童常通过模仿同伴学会一种行为模式，当一个儿童通过攻击别人达到了某种目的时，其他儿童看到这种行为带来的“好处”，也会去模仿这种行为，同伴榜样的作用是引发儿童攻击行为的一个重要因素。另外，如果一个儿童在同伴群体中的地位较低，经常遭受其他孩子的嘲弄和奚落，他就有可能进行报复性的攻击，但如果一个儿童位于同伴之首，他有可能自恃自身的强大去攻击别人。

3. 儿童自身的因素

近年的研究表明，认知在儿童的攻击行为中起着重要的中介和调节作用，儿童对伤害情境中他人意图的知觉和归因决定着儿童是否实施攻击行为。在面对一个意图不明的消极结果时，攻击性强的儿童容易把它归因为同伴出于敌意造成的，于是便对同伴实施攻击，其他儿童则往往归因于同伴无意造成的，便不会产生攻击行为。

（四）攻击性行为的矫治措施

儿童攻击性行为产生的原因多种多样，会受生理的、心理的、社会环境、文化教育等各种因素的影响。学龄期是进行心理矫正的关键时期，如果这一阶段对孩子不及时加以干预、矫治，成年后容易走上违法犯罪的道路。因此，作为教育工作者，对于有攻击性行为倾向的儿童，我们应该采取正面引导和反面教育相结合的方法，让孩子学会控制自己的情绪和行为，还要培养他们的爱心和与人为善的品格，这样才能铲除儿童攻击性行为的土壤，使他们的身心得到健康的发展。

1. 及时制止小学生的攻击行为

当小学生出现攻击行为时，如果成人不加以制止和批评，就会强化其攻击行为。教师可以采用“冷处理”的惩罚方式，即在一段时间里，不去理睬表现出攻击性行为的儿童，故意冷落他，让孩子认识到自己做错了事，给儿童自我反省的机会。

2. 培养小学生的亲社会行为和移情能力

在日常生活中，当孩子做出合作、分享等亲社会行为时，教师要及时表扬和鼓励，培养孩子的利他行为。许多研究已证明，培养孩子的亲社会行为和移情能力，可以有效减少儿童攻击行为的发生。

3. 提高儿童的社交技能和自我控制力

具有攻击性倾向的小学儿童在同伴中的社交地位较低，不易为同伴所接纳，这是因为这些儿童在解决一些同伴交往中所出现的问题时所使用的策略不恰当，因此容易遭受同伴的拒绝，而同伴拒绝会引发儿童采用攻击性行为达到交往目的。因此，教师要教给儿童一些正确的社交方法，鼓励儿童学会正确与同伴交往，通过提高社交技能来减少攻击行为。

学 以 致 用

蒋多多（化名），男，8岁，小学二年级学生。该生父母外出打工，从小跟爷爷奶奶在家生活，很少见到父母，对父母缺少依恋。别人老是欺负他，父亲怕他吃亏，叫他回击欺负他的人，渐渐地，他由一个受他人欺负的人转为一个欺负他人的人，由一个弱者变成一个大“天王”，令老师极其头疼。该生学习成绩差，性情怪异，很难与同学相处。手脸总是有污秽，总是欺负周围的同学，总以强者形象出现，无缘无故的，就打同学一巴掌或踢同学一脚。

思考：如果你是该生的班主任老师，你认为该如何帮助这个孩子学会与其他同学交往？

二、说谎

刚入学的小学生，由于认识能力及思维能力均未发育完善，分不清自我与环境以及周围事物的真假，会无意编造某些“谎言”，还有些低年级儿童，想象丰富，为了满足自己幻想中的某些愿望，常将幻想与现实掺和在一起而说谎。随着小学生年龄的增长和认知水平的提高，无意说谎会逐渐减少。但有些小学生，经常故意编造谎言，有意说谎，属于品行问题，需要加以矫治。

（一）小学生说谎及表现形式

说谎指的是小学生有意或无意地讲假话，它是小学生常见的行为问题。小学生说谎主要有以下几种表现形式：

1. 有意说谎和无意说谎

无意识的说谎是幻想式的说谎，这种情况一般发生在年幼的孩子身上，因为幼儿对经历过的事情记忆不清晰而说谎，严格说来，不应该被纳入“说谎”之列。第二种是有意识的说谎。按动机来分，又可分为积极和消极两种，如果动机是消极的，是一种真正意义上的说谎。

2. 试探性说谎

一些学生犯了错误，明知道自己不对，但还是心存侥幸，希望能够依靠说谎骗过老师和家长。主要表现在：因为遇到了难以克服的困难，所采取的一种心理防卫方式，并非有意说谎。

3. 养成性说谎

大部分孩子最初说谎可能是试探性地说谎，但因此满足了自己的内心需求，而且屡试成功，久而久之便养成了说谎的习惯。

（二）小学生说谎的矫正策略

说谎会导致人际关系紧张，严重的会使说谎者形成过度焦虑和恐惧的心理障碍，不利于小学生全面、健康的发展。分析小学生说谎的心理动因，培养小学生诚实正直的人格品质，是学校德育教育中不可忽视的一个问题，也是心理教育中重要的一个方面。

说谎的动机不同，引起的危害后果也不同，需要根据不同情况加以分析和矫正。

1. 防卫性说谎

这种说谎行为的动机就是保护自己不受伤害，使自己摆脱不利的情境。在小学生的说谎行为中，防卫性说谎占有相当大的比例。小学生的很多说谎行为都是为了免受谴责或惩罚，通过说谎，他们可以用较小的“代价”避免可能受到的痛苦或损失，保全自己。尽管一些孩子在说谎时感到内心不安，甚至会有比较明显的感情冲突，但是想到这样能使自己摆脱一场痛苦或尴尬的处境，也会采取这一手段保护自己。

当发现小学生防卫性说谎时，应当根据其性格类型做出不同的处理。对于性格外向、活泼好动的孩子，应当直言不讳地指出这是谎言，了解说谎的原因。如果发现孩子所说的原因是情有可原的，更要指出无论什么原因，说谎都是不对的。如果发现他所说的原因并不值得原谅，应当明辨是非，进行必要的惩罚。对于性格内向，平时安静自律的小学生，应该用平静、关心的语气，询问他们是否遇到了自己难以处理的事情，引导他们说出说谎的具体原因，然后针对这些原因，提出一些建设性的处理、应付方式，使他们认识到说谎是一种下策。由于这种孩子的自省能力、自尊心较强，因此，不一定点出他的谎言，可旁敲侧击地让他明白自己的谎话已被人识破，用自我修正的方式加以改正。无论这些孩子说谎的具体原因有什么不同，都要帮助他们用正确的方式摆脱困境和压力。

另外，在教育工作中，老师要与家长密切配合，共同为小学生创造民主、宽松的教育环境，让他们不必为惧怕受到批评或惩罚而说谎。

2. 恶作剧性说谎

这种说谎行为的动机主要是戏弄别人，从中获得心理满足。这种说谎行为反映了说谎者的品德不良，应当采取比较严厉的方法加以处理。发现这类情况后，必须给他们一定的惩罚，使他们认识到说谎行为引起的不良后果，在以后的生活中不再发生类似的行为。

3. 表现性说谎

这种说谎的动机是为了吸引别人的注意，在别人面前夸耀、表现自己。小学生出现了表现性说谎时，应当引导小学生用建设性的行为去赢得别人的赞扬和关注，告诉孩子说谎的人在夸大事实、编造情节时，时刻会有被别人揭发的危险，当谎言被揭穿后，就会成为别人鄙视的对象，只有用社会认可的方式去努力学习，才能得到持久的关注，才能赢得家长和社会的肯定。由于小学生的认识能力有局限性，因此，在启发引导时，要分析他们滋生表现性说谎的原因，帮助指出其努力的方向和途径，而且这种引导越具体化、越个别化、越多样化，对小学生的帮助就越大。

第四节　小学儿童常见的心理障碍

研究表明，因发展性和认知性心理障碍而就诊的高峰期是儿童进入小学的头几年，这可能与儿童需要应对“角色”转换所带来的变化有关。具体而言，小学儿童常见的心理障碍主要有学习障碍、情绪障碍和多动障碍等。

一、小学儿童学习障碍及矫治

（一）学习障碍的界定

学习障碍（Learning Disability，简称 LD）是指智力正常的儿童，因神经心理功能异常，在获得或运用听、说、读、写、推理和计算能力的一个或多个方面未能达到其适当的年龄和能力水平，出现明显困难，从而导致学习落后、学习成绩不理想的状态，约占小学生 5%～10%。①

（二）学习障碍的类型

学习障碍是指显著阻碍阅读、拼写、写作、计算等学习活动的心理障碍。这些障碍往往在入学后由于实际成就水平低于潜在学业能力而表现出来，主要

① 雒强．学习障碍儿童特征研究及干预建议[D].西安：陕西师范大学，2013：5-8.

表现为阅读障碍、拼写障碍、写作障碍和数学障碍等。①

1. 阅读障碍

阅读是一个需要多种认知过程（如知觉、记忆、理解、概括、比较、推理等）参与的学习活动，儿童在这些认知能力的任意一种上存在问题，都会影响阅读能力，因而阅读困难是较为普遍的一种学习困难类型，阅读障碍主要表现在以下几个方面：

（1）阅读习惯方面。阅读时动作紧张，皱眉、咬唇、侧头阅读或面部抽搐；迷失位置，找不到从哪里开始阅读的；阅读时和书本距离过近。

（2）朗读方面。常常省略句子中的某一个字或某几个字；任意在句中加字减字；任意将句中的字以其他字替换；将词组的前后字任意颠倒；阅读不流畅，在不适当的地方停顿；声音尖锐，喘气声很大等。

（3）回忆方面。回忆基本事实困难，无法回答文章中有关时间、地点等基本事实的问题；序列回忆困难，无法按故事情节的先后顺序复述故事；无法说出所阅读内容的主题。

（4）理解技能方面。逐字理解有困难，无法正确说出阅读内容中的细节和一些特定信息；理解性技能不足，不能从阅读材料中得出结论，无法比较观点之间的差异、无法把新观点与学习过的观点综合起来；评论性理解技能不足，无法将阅读材料与自己的生活结合起来、无法分析作者的意向和信念。

学　以　致　用

圆圆今年10岁6个月，上小学四年级。她的父亲是工人，母亲是司机。据家长介绍说，圆圆说话比同龄孩子要晚，小时候也不爱说话，词汇量少，见人爱笑，说不了特别长的句子。她小时候动作敏捷，跑步的速度比同学都快，特别喜欢手工和画画。上小学后，她写作业的速度较快，并且很少有马虎现象。数学在班级处于中等偏下的水平，但不会有显著困难。她目前的一个最大困难是记不住字，听写成绩为全班倒数第一。

思考：你认为造成圆圆学业表现不良的原因是什么？为什么？

2. 书写困难

书写困难也叫书写缺陷或视觉-动作整合困难，一般有如下表现：

（1）握笔方法不正确。手指过于接近笔尖或过于远离笔尖；只用食指来运笔；放置本子或纸的位置不正确，常移动或放得太斜。

① 辛自强，俞国良．学习不良的界定与操作化定义[J].心理学动态，1999，7（2）：52-57.

（2）书写姿势不正确。身体与桌面的距离不当，太远或太近；手臂与身体的距离不当，太贴近身体或太远离身体。

（3）力量控制不当。用在铅笔上的力量过重，会折断笔尖或戳破纸；肌肉过于紧张，手指僵硬，运转不灵活；力量不够，握不住笔或笔道太浅。

（4）字不均匀。写字不匀称，该大的不大，该小的不小，如“吃”的左右两部分写得一样大，变成“口乞”；字与字大小不一，粗细不一。

（5）字间距不当。每个字的组成部分之间距离太远，如“明”的左边部分与右边部分距离太远，变成了“日月”；字与字之间距离太大或太小。

3. 数学困难

数学学习需要具有良好的推理、分类、组合和概括等能力。儿童在学习数学前需具备一些基本技能，如按大小、形状、颜色进行比较、分类，如果儿童这些准备技能发展不足，那么学习数学时将会遇到较明显的障碍。

数学学习障碍表现为计数困难，对上下、远近、前后等空间及序列概念区分不清，理解数学术语或符号困难，在识别机械图形与理解数学任务上能力落后，记不住图形、交往能力差。具体而言，小学儿童数学学习障碍主要表现在以下几个方面①：

（1）阅读与书写数字困难。在读、写数字时，容易混淆外形相似的数字，例如，把“6”写成“9”。

（2）数数困难。在大声数数时，常会把一些数字跳过去，序数理解有困难。例如，不知道一周中的第二天是哪一天，无法正确地按一定的要求数数。

（3）数位困难。不能理解数位概念，不能理解相同的数字可以在不同的数位上表示不同的值。

（4）计算技能不良。运算方法混淆，例如，在进行乘法运算中，会将乘号看作加号，运算法则掌握不牢固，不会退位减或进位加。

（三）学习障碍的干预

改善儿童的学习过程与效果是所有学习障碍研究者的共同目标。为此，研究者从学习障碍的病因假设出发，针对学习障碍的具体问题，提出了干预方法和治疗方案。

1. 认知-行为干预模式

这种模式更强调使学习障碍儿童自身形成主动的、自我调控的学习策略。认知-行为干预模式的基本程序为：对干预对象现有策略水平进行测评，确立基线和干预目标；向被干预者解释目标策略；示范目标策略的使用；让被干预

① 王金霞，王吉春．小学生异常心理与行为问题[M]. 成都：西南财经大学出版社，2018：45.

者进行言语示范；提供低难度材料以供练习；提供与被干预者所在年级平均水平相似的练习，并给予反馈；后测并进一步给予反馈；迁移训练。①

认知-行为干预模式强调对学习障碍儿童进行认知策略训练和自我监控训练。这一干预模式有三个突出的特点：一是引导儿童成为自己学习过程的主动参与者；二是重视示范目标策略、方法的运用；三是以儿童的外部言语为中介。这一模式使学习障碍儿童学会对自己学习过程进行控制，改变其原有的消极被动的学习方式，通过反复训练，坚持练习，达到改善注意和自我行为控制的目的。

2. 神经系统功能训练

神经系统功能训练的创立者认为，对儿童的基本心理过程进行训练可以改善其脑功能，提高其学习效率。在改善心理过程及神经系统功能的训练方面，最为典型且使用广泛的就是感觉统合训练，即采取游戏的方式，利用特制器具让儿童进行全身各个部分的运动，从而改善其感觉统合功能，进而提高其听、说、读、写等方面的能力。

3. 学习能力训练

学习能力训练是建立在心理学和教育学基础上的特定训练项目。通过一对一的训练，改善孩子的注意力、记忆力、运动能力、听觉分辨、视-动统合、逻辑推理和概念理解能力。

4. 生化与药物治疗

生化与药物治疗假设儿童的学习障碍问题是由其神经系统的结构与病理性问题造成的，因此需要采用药物治疗控制和改善学习障碍儿童的病情，进而改进其学习状况。

学　以　致　用

小学三年级男生小林，是个善良的孩子，很渴望有朋友，但是他在学校却常常受欺负，甚至是被人吐口水。他数学和英语成绩都能达到 90 分以上。但是，他的语文很糟糕，尤其是对写字有恐惧感，他写字很慢，经常多一撇、少一捺。他在上课搞小动作，不听讲，不做课堂作业，出操时大家都做操，他却站在原地东张西望，或者自己玩自己的，就是不做；午睡时，其他同学在休息，他就去打扰同学，或者涂画黑板，造成班级扣分。他的班主任老师曾经多次请家长到学校。

思考：你认为我们应从哪些方面改善小林目前在学习方面遇到的问题？

① 陈学锋，谢天壬．5～10 岁儿童发展性学习困难的教育干预研究[J]．心理发展与教育，2001，(2)：13-18.

二、小学儿童情绪障碍及矫治

在儿童成长过程中，大多数个体都体验过恐惧、焦虑或羞怯，这些情绪是正常的，但如果儿童体验的情绪是高强度的、与现实不相符的、痛苦程度较深的，已经严重影响到其正常的学习和生活，则属于情绪障碍。下面主要介绍小学儿童常见的两种情绪障碍，即焦虑障碍和心境障碍。

（一）小学儿童焦虑障碍

1. 焦虑障碍的定义

焦虑是儿童期较常见的一种情绪问题，常常表现为无原因的不安、无所指向的烦躁和惊慌，好像某种危险就要来临，但又说不出究竟担心什么。在小学阶段，伴有焦虑情绪的儿童较普遍，这对儿童的自我意识及未来发展造成了不良影响，应该对儿童各种焦虑问题及障碍予以积极的干预。

2. 焦虑障碍的常见类型

（1）分离性焦虑。分离性焦虑障碍又称儿童离别焦虑症，是指在离家或与依恋对象分离时，表现出与年龄不相符的、过度的和影响其行为能力的焦虑。分离性焦虑障碍是儿童期最常见的焦虑障碍，患病率约为 10%，女孩的患病率高于男孩，是患病年龄最小（7～8 岁），开始治疗年龄最小（10～11 岁）的一种儿童焦虑障碍，分离性焦虑障碍儿童通常会出现不愿上学或拒绝上学等问题。

阅读专栏 9－1：苏珊的故事

苏珊今年 7 岁，是个小学生。每次临近上学的时候，苏珊要么躲到床底下，要么把自己锁在卫生间，或者死死哀求母亲，说自己“胃痛”无法上学。她不仅担心妈妈会把她遗忘在学校，还担心自己在学校的时候家人会出意外。除了不愿意上学，单独待在家里也会使她感到害怕。她晚上会做噩梦，不敢一个人睡在房间，半夜总是忍不住要溜去父母的卧室。苏珊这样的孩子究竟是怎么回事呢？是胆小，还是厌学、不懂事儿？其实都不是。苏珊是得了一种儿童比较常见的心理疾病：分离焦虑障碍。

资料来源：王金霞，王吉春．小学生异常心理与行为问题[M]. 成都：西南财经大学出版社，2018：59.

（2）恐惧症。恐惧情绪是小学儿童最常见的心理现象之一，大多数儿童会对黑暗、动物、雷电等感到恐惧，但如果他们出现与年龄不相符的、持续的、非理性的或夸大的恐惧，日常生活也因此受到影响，则被称为恐惧症。根据小学儿童恐惧常见的对象，可以把恐惧症分为三大类：一是对身体损伤的恐惧，分为对抽象对象（如死亡、地狱、鬼怪等）的恐惧和对具体对象（陌生人、出血、生病）的恐惧；二是对自然事件的恐惧，如黑暗、地震、洪水等；三是社交恐惧，是指儿童对新环境或陌生人产生恐惧焦虑情绪和回避行为。

（3）考试焦虑症。考试焦虑症是指在考试过程中体验到强烈的躯体、认知和行为方面的焦虑症状，主要有以下三个方面的症状：①心理层面，如紧张、担心、恐惧、忧虑、注意力差、记忆力减退、学习效率下降、情绪抑郁、悲伤欲哭、缺乏自信、过度夸大失败后果等；②行为层面，如坐立不安、怕光怕声、考试时思维混乱、手抖出汗、视力模糊、常草草作答、匆匆离开考场以求心情的片刻安宁；③躯体层面，如失眠、多梦、心悸、头晕、头痛、胸闷气短、食欲减退、肠胃不适、小便次数增多等。

阅读专栏 9-2：考试焦虑症案例

唐唐是一位四年级的学生，她是个很腼腆的小女孩，性格内向，平时不愿意跟同学们打交道，也不爱说话。在人面前不苟言笑，上课从不主动举手发言，老师提问时总是低头回答，声音小得几乎像蚊子声。上课听讲也不太认真，容易走神，课后的预习、复习工作不能有序进行。学习成绩也不太理想，面对激烈的竞争，觉得自己这儿也不行，那儿也不如别人，缺乏竞争勇气和承受能力，导致自信心的缺失。学习成绩中等偏下，而她的表姐、表妹学习都特别优秀，作为家里的独生子，家长期待自己的孩子一样优秀，但是一提考试唐唐就没精神，遇到考试时晚上睡不着、头痛，还伴随着发烧。这样不仅影响考试成绩，身体上还经受折磨。

3. 小学生焦虑障碍的治疗

（1）心理治疗。常用的心理治疗包括支持性心理治疗、行为矫正治疗和家庭治疗。支持性心理治疗在儿童焦虑障碍中应用较为广泛，治疗时要通过与焦虑障碍儿童建立起信任的关系，对其表现出的焦虑症状给予充分的理解和同情。在此基础上，通过劝导、鼓励和安慰，减轻其焦虑与不安；行为矫正治疗以学习理论解释焦虑障碍儿童的行为，通过行为矫正技术（如系统脱敏法、满灌疗法）帮助儿童改善不良行为并获得新行为；家庭治疗则将焦虑障碍儿童和其家庭成员都作为治疗的对象，认为儿童的情绪和行为问题是由家庭成员的不良互动造成的，家庭治疗可矫正家庭成员之间存在的问题，最终使焦虑障碍儿童的问题得到解决。

（2）药物治疗。在经过环境调整、心理治疗后，若无明显效果，则应使用药物治疗以尽快控制症状，恢复社会功能，以免引发其他行为问题或导致人格改变。

（二）小学生抑郁症

抑郁症是一种常见的心境障碍，研究表明，近5%的儿童体验过明显的抑郁情绪，有2%～8%的4～18岁的儿童青少年患有重度抑郁。儿童抑郁症主要表现为如下症状：在心境方面，情绪低落、兴趣降低、悲观、思维迟缓、自责自罪、易激惹等；在躯体症状方面，疲乏无力、头昏头痛、心悸、胸闷、食欲低下、睡眠困难等；在行为方面，有多动、攻击等行为问题，甚至出现自残、自杀等念头和行为①。

1. 儿童抑郁症的产生原因

儿童抑郁症是生物学因素和心理社会因素共同影响下产生的，生物学因素包括肾上腺皮质激素增高、生长激素分泌明显减少，5-羟色胺、多巴胺等神经递质的变化等。另外，儿童抑郁症的产生也跟心理社会因素有关，如重大生活事件或精神创伤、家庭因素、认知因素以及儿童自身的气质和性格因素等。

2. 儿童抑郁症的治疗

儿童抑郁症的治疗需采用综合治疗措施，治疗方法包括药物治疗和心理治疗，需由专业人员进行治疗。

（1）药物治疗。常用药物有两大类，一类是三环抗抑郁药，如丙咪嗪、阿米替林、多虑平和氯丙咪嗪等；另一类为5-羟色胺再摄取抑制剂。由于药物的副作用，在应用抗抑郁药物时应格外慎重。

（2）心理治疗。抑郁症的心理治疗主要包括认知行为治疗和家庭治疗，认知行为治疗主要根据认知理论和行为心理学理论进行个别心理治疗，认知行为治疗以社会技能训练和增强儿童身体活动量为重点，常用自信训练、问题解决技巧训练等认知行为治疗技术来改善儿童的情绪状况；家庭治疗不仅要改变家庭成员的不良行为和认知方式，还要调整家庭的情绪管理方式。

三、小学儿童注意缺陷-多动障碍及矫治

多动症儿童在情感、行为与学习等方面表现出明显的缺陷，诸如注意力难以集中、过度活动，成年后则表现为控制情感能力较差、容易冲动，甚至表现出暴力行为，从而引发犯罪，因此，必须及早发现、及早治疗。

---

① 张曼华，陈楠．儿童抑郁症的临床特征及心理干预[J]．中国妇幼保健，2008（32）：589-591.

（一）儿童多动症的界定

儿童多动症，又称儿童多动综合征、注意力缺陷障碍（ADHD），它是指智力正常或接近正常的儿童表现出与其年龄不相称的、明显的注意力不能集中、不分场合的过度活动、情绪冲动，且伴有认知障碍和学习困难的一种综合征①。

近年来，多动症在我国小学阶段儿童中患病率呈直线上升趋势，且男孩患病的比率远远超过女孩，多动症的发病高峰年龄为8～10岁，10～12岁次之。由于各国的诊断标准不一致，因此各国报告的发病率也有很大差异，美国报告的儿童多动症发病率为20％。据统计，我国小学儿童患多动症的比例大约为10％，并且有逐年上升的趋势。

（二）儿童多动症的症状表现

多动症在不同年龄阶段有不同的临床表现：婴儿期表现为不安宁，易激惹，过分哭闹，饮食差，活动度保持高水平，睡觉不安稳；幼儿期：动个不停，眼睛看到的东西都想碰，容易受伤。学龄前期：注意集中短暂，不能静坐，好发脾气，很早入睡或很早醒来，行为具有攻击性，参加集体活动有困难，情绪易波动，遗尿。学龄中期：注意力集中短，不能静坐，挫折的耐受性差，对刺激的反应过强，学习困难，不能完成作业，具有攻击行为，冲动，与同伴相处困难。学龄后期：注意时间短暂，缺乏动力，过失行为多，情绪易波动，说谎。

阅读专栏9-3：多动的陈陈

陈陈，男，12岁，自一年级到五年级比其他孩子明显表现出多动行为，而且这种现象有增无减。其主要表现为：上课时不遵守纪律、扯前面同学的头发、东张西望，总喜欢转身拉别的同学和他讲话，好晃椅子、玩小东西，经常打扰同桌或附近的同学，注意力不集中。老师批评或暗示后有一定效果，但持续时间不长。陈陈好搞“恶作剧”，有时会故意推别人。在家里的表现为：任性、冲动，遇到想做的事情而父母不能满足时，便火气冲天、大喊大叫，陈陈精力特别充沛，喜欢看武侠片等电视节目，从不主动、认真完成作业，且做作业时边做边玩，注意力难以集中。据家长和老师观察，陈陈脑子不笨，学习认真起来比一般同学接受得还快，但因为好动分心，成绩在班里排在倒数第五，出现不及格现象。

① 肖征．儿童多动症的心理诊断与防治[J]．丹东师专学报，2003，25（4）：72-73.

（三）多动症的病理学基础

多动症的病因尚不清楚，有研究认为儿童多动症可能与遗传、轻微脑损伤、不当的教育、铅中毒、食物过敏等因素有关，每个多动症儿童可能是由于其中的某几种原因所致。目前，虽然多数学者认为儿童多动症是由多种病因引起的临床综合征，但是对多动症病因的各种学说如脑轻微器质性损害说、遗传因素说、生化代谢紊乱说、环境因素说等却均有存疑。

1. 生理原因

（1）脑组织损伤。虽然多动症儿童中并不总是存在着脑损伤的确切证据，但有学者认为多动症的原因可能是轻微的脑功能失调，这种失调可能与脑的功能损害有关。在现实生活中，造成脑损伤的可能性有很多，如母亲怀孕时受到风疹等病毒的感染；脑部严重的撞击；服用过多有害于胎儿脑组织的药物；产钳助产所致的脑损伤；幼年时所患的脑炎、脑膜炎、颅脑外伤等等，以及其他原因造成的脑损伤等等。这一切都可能引发儿童多动症。

（2）遗传。研究表明，多动症儿童中的父母幼时顽皮多动的人数比率为36.4%，有注意力不集中的人数比率为27.1%。儿童多动症具有家族性倾向，西尔弗发现40%的多动症儿童其父母、同胞和亲属中也患有多动症。Matheny在1976年进行双胞胎的纵向观察发现同卵双生子其中一个患多动症，另一个发病率达100%。异卵双生子，如一个患多动症，另一个患病率为17%[①]。

（3）铅中毒。铅进入人体后，可通过血液侵入大脑神经组织使营养物质和氧气供应不足，从而破坏儿童大脑的正常兴奋和抑制调节功能，使儿童产生行为异常和智力发育障碍，临床上则可表现为儿童多动症，产生多动和注意力不集中的表现[②]。张建平等人对102例多动症患儿做了铅接触方面的问诊和末梢血铅检测分析，结果发现，59例血铅超过其检验正常值（超标率为58.8%），据此推测多动症与高铅有一定关系[③]。

（4）神经生理基础异常。由于某些酶的活性降低，使神经突触间隙中的儿茶酚胺类神经递质的有效浓度不足，以至于信息下达受到影响，导致自制能力不足而产生了相应的一系列的症状。

---

① 李博，李文才．儿童多动症的成因分析及教育干预措施[J].广东教育学院学报，2009，29（4）：20-22.

② 沈晓明．儿童铅中毒[M].北京：人民卫生出版社，1996：193.

③ 张建平，王子婵，袁文瓒．日用陶瓷铅溶出量与儿童多动症关系的探讨[J].中国陶瓷，2007，43（12）：52.

2. 家庭因素

国内外研究显示，家庭环境不良可促进多动症状的出现或加重已有症状。父母关系不和，互相攻击、讽刺、漫骂或者父母粗鲁打骂孩子，干涉孩子的活动，挫伤儿童的自尊心和自信心。在这种环境直接影响下，儿童的神经活动常处于高度警觉状态，唯恐触怒父母，或千方百计地逃避父母的打骂、干涉，长期下去儿童就会缺乏独立性、自主性，甚至说谎、欺骗。一旦条件适宜，将毫无自控地发泄自己的心理能量，表现为活动过度、注意力不集中、冲动等行为。另外，在父母离异或亡故的家庭中，儿童得不到足够的关爱，为了寻求更多的关怀，吸引别人的注意，从而得到周围人的认可或关怀，久而久之，这种好动的行为便形成了一种习惯，不论在什么场合下不知不觉地就表现了出来，这也是诱发儿童多动症的一种原因。

阅读专栏 9-4：多动症案例

小明（化名）男孩，6岁，家里有爸爸，妈妈，外婆，外公，小明出生后便由外婆养育，妈妈依然像没生孩子之前一样上班及玩耍，基本没有参与过小明的教养，外婆对小明十分溺爱。妈妈在小明上小学前发现小明的情况有可能无法适应小学的学习要求，便辞职开始做全职妈妈，专心陪伴小明读一年级。但小明经常被老师批评，这也带给了小明妈妈很大的压力，妈妈的情绪也存在很大问题：担心、害怕、焦虑、自责等。由于外婆比较强势，小明的爸爸基本无法参与小明的教育，处于被动缺失的状态。小明在学校上课注意力不集中，不能认真听讲；上课时喜欢怪叫或乱跑，干扰课堂秩序；总是不能按时完成作业，考试不做题，宁愿交白卷；不能控制自己的情绪，无法表达自己的想法，经常哭闹；体育课不能遵守规则被老师罚站在操场边；在校内到处乱跑，打架，多次造成意外使自己或他人受伤。

3. 其他因素

某些食品也可以诱发多动症，如调味剂、人工色素，因这些食品中缺铁，容易引起儿童出现轻度贫血症状，从而导致其注意力减弱，暴躁并且易怒。环境污染和轻度中毒也可能增加活跃行为的程度①。

（四）儿童多动症的心理干预

多动症的治疗一般是采用药物治疗和心理治疗相结合的方法。治疗多动症常用的西药是一些中枢神经兴奋药，如哌甲酯、苯丙胺、匹莫林等，但有副作

① 贾春萌．儿童多动症的成因与矫正[J].科教导刊，2005，(1)：135.

用，最常见者为食欲减退、皮肤苍白、头晕、腹痛等。另外，这些药均可抑制体重及身高的增长。因此，6 岁以下及青春期以后的患儿服药要慎重，最好采用心理干预。

1. 家庭支持疗法

支持疗法主要是改变多动症儿童的生活环境，减少患儿的挫折感，维护他们的自尊心，需要父母对他们进行鼓励，帮助他们树立信心，对于出现的良好行为及时强化。

(1) 从态度上改变对孩子的认识，作为多动症孩子的家长，首先要理解孩子是属于病态的，不能误认为孩子的病态是“不学好”“故意捣乱”等，更不能因为孩子不受欢迎的不良行为而动辄打骂，加重患儿的心理压力，会使他们的自我控制能力更差，症状更加严重。

(2) 要对孩子有耐心，对缺点要反复帮助改正，对优点要及时表扬巩固。对他们的要求刚开始要比其他孩子低一些，等达到要求后给予鼓励，再逐渐提高要求。

(3) 多提供孩子活动的机会，使他们过多的精力得到宣泄，多引导他们参加体育运动，教会他们交往的策略。

(4) 使患儿形成规律的生活习惯，家长要督促他们遵守作息制度，起床、吃饭、游戏、学习、入睡都要形成规律，不要过分迁就，使他们在生活中受到锻炼。在患儿能够集中注意力去做某件事时，家长不要主动去打搅他们，以防分散他们的注意力，逐渐培养他们专注的习惯。

(5) 营造温馨、祥和的家庭氛围，让孩子产生安全感。及时与老师联系，多了解孩子的在校情况，听取老师的意见。

2. 心理疗法

心理疗法用来改变多动症儿童存在的注意力难集中、多动及情绪问题，具体有以下几种方法：

(1) 强化消退训练。在矫正多动症的过程中，使用强化原理和消退训练来辅助治疗是极其重要的。赵新喜等曾对 32 例多动症患儿采用强化与消退技术进行干预，显著地减轻了患儿的多动症状，其中 29 例获得显著疗效。对于多动症儿童安静、守纪律的行为要及给予鼓励强化；对经常发脾气、尖叫等不满行为及时予以制止，应用消退训练。将“消退”和“强化”结合，即对不满意行为不予理睬，满意行为给予鼓励强化，使消退训练取得最佳效果①。

---

① 赵新喜等．儿童多动症的心理疗法和行为矫正效果探讨[J]. 实用儿科临床杂志，2001，16(5)：359.

（2）自我控制训练。自我控制训练是应用操作性条件反射的原理，通过训练，使多动症儿童在头脑中形成做事前必须经过的一系列简单、固定的自我命令，从而学会控制自己行为的节奏。

（3）放松训练。放松训练矫正儿童多动行为是近些年的新尝试，取得了一定的成效。因为多动症儿童的身体长时间处于紧张状态，因此，让患儿的肌肉放松可以减少他们的多动症状。

（4）感觉统合训练法。多动症患儿往往会出现精力旺盛、动作多的临床表现，为此，还可以应用感觉统合训练疗法，就是利用球、滑板、绳等体育器材和游戏活动等开展协调训练，通过这些活动，锻炼患儿动作协调能力，促进大脑统合功能的完善，使儿童对外界刺激做出适宜的反应，增强其自我控制行为的能力①。

3. 饮食疗法

在多动症儿童日常饮食中，不吃受铅污染的食品和贝类，减少辛辣食物的摄入，控制调味品的摄入量，以缓解儿童的多动行为。

近年来，对多动症儿童的大量干预表明，单一干预治疗对多动症儿童的矫正效果都不理想，单纯的治疗效果欠佳，综合治疗会获得良好的效果，有效率可达100%。

对于小学教师来说，在课堂上要求多动症儿童安静地坐、注意听讲、听从指挥、完成作业以及与同学和谐相处，这些要求很难做到，多动症儿童的注意分散和多动-冲动行为使学习变得非常困难。因此，教师主要的任务是管理妨碍学习的注意分散和多动-冲动行为，并给儿童提供一个能发挥他们优势的课堂环境，比如教师安排学生坐在自己讲桌的附近，提供一个指定的范围让学生活动，建立一个清晰的、明文规定的纪律制度。

思考与练习：

1. 简述小学生心理健康的标准。
2. 影响小学生心理健康的因素有哪些？
3. 父母教养方式如何影响儿童的心理健康？
4. 导致小学生厌学的原因有哪些？

① 雷燕，李燕红．儿童多动症的表现特征及教育干预措施[J]．重庆职业技术学院学报，2005，14（4）：119-120.

5. 如何矫正小学生说谎？
6. 如何干预小学生学习障碍？
7. 小学生抑郁症有何症状？
8. 小学生多动症的原因与具体表现有哪些？

参　考　文　献

[1] 陈威．小学儿童心理学[M]. 北京：中国人民大学出版社，2014.

[2] 林崇德．发展心理学[M]. 北京：人民教育出版社，2018.

[3] 王珺，任婧．儿童发展与教育心理学[M]. 长沙：湖南大学出版社，2020.

[4] 刘电芝．儿童发展与教育心理学[M]. 北京：人民教育出版社，2006.

[5] 李淑湘，陈会昌，陈英和．6～15 岁儿童对友谊特性的认知发展[J]. 心理学报 1997，29（1）：53.

[6] 李锡元．管理沟通[M]. 武汉：武汉大学出版社，2006.

[7] 周宗奎．现代儿童发展心理学[M]. 合肥：安徽人民出版社，1999.

[8] 李林江，陆凌．精神病学第 8 版[M]. 北京：人民卫生出版社．2015.

[9] 一白．给“心理性矮小症”孩子的父母支招[J]. 黄河．黄土．黄种人，2010（6）：37.

[10] 黄月胜．小学儿童心理学[M]. 北京：北京师范大学出版社，2013.

[11] 付建中，董存梅，姚春．儿童心理学[M]. 北京：北京师范大学出版社，2016.

[12] 桑标．儿童发展心理学[M]. 北京：高等教育出版社，2009.

[13] 桑标．当代儿童发展心理学[M]. 上海：上海教育出版社，2003.

[14] [美] 劳拉・E. 贝克．儿童发展[M]. 南京：江苏教育出版社，2002.

[15] 朱家雄．学前儿童心理卫生与辅导．长春：东北师范大学出版社，2003.

[16] 李锡元．管理沟通[M]. 武汉：武汉大学出版社，2006.

[17] 李林江，陆凌．精神病学第 8 版[M]. 北京：人民卫生出版社．2015.

[18] 刘金花．儿童发展心理学（第 2 版）[M]. 上海：华东师范大学出版社，1997.

[19] 叶浩生．心理学史[M]. 北京：高等教育出版社，2011.

[20] 翟媛媛，徐红．小学儿童发展心理学[M]. 济南：山东人民出版社，2014.

[21] 王烨捷，吕海波．调查：72.9%小学生要“挤时间”发展兴趣爱好[N]. 中国青年报，2007，12.10.

[22] 苏洵，钱雅文．小学儿童发展与教育[M]. 镇江：江苏大学出版社，2020.

[23] 王雁．普通心理学[M]. 北京：人民教育出版社，2002.

[24] 伍新春．儿童发展与教育心理学（第二版）[M]. 北京：高等教育出版社，2013.

[25] 冯维．小学心理学（第 5 版）[M]. 重庆：西南师范大学出版社，2020.

[26] 范丹红．心理学（小学）[M]. 北京：北京大学出版社，2018.

[27] 周宁．小学儿童心理发展与教育[M]. 合肥：安徽教育出版社，2014.

[28] 燕国材．教育心理十题[M]. 北京：中国建材工业出版社，2001.

[29] [美] 理查德・格里格．心理学与生活[M]. 北京：人民邮电出版社，2005.

[30] 沈德立．发展与教育心理学[M]. 沈阳：辽宁大学出版社，1999.

[31] 纪艳婷，施长君．校园欺凌现状及预防策略[J].教育教学论坛，2017（48）：70-71.
[32] 张文新．儿童社会性发展[M].北京：北京师范大学出版社，2000.
[33] 张金良，何康敏等．中国儿童血铅水平及变化趋势研究[J].环境与健康杂志，2009，26（5）：393-398.
[34] 陈金莲．论浅析家庭结构对儿童身心发展的影响[J].儿童大世界，2017（7）：142.
[35] 杨雪梅．儿童的学校适应研究综述[J].四川心理科学，2002（2）：21.
[36] 苏科，李菁．儿童攻击性行为研究[J].中北大学学报（社会科学版）2006，22（5）：86-88.
[37] 雒强．学习障碍儿童特征研究及干预建议[D].西安：陕西师范大学，2013.
[38] 辛自强，俞国良．学习不良的界定与操作化定义[J].心理学动态，1999，7（2）：52-57.
[39] 王金霞，王吉春．小学生异常心理与行为问题[M].成都：西南财经大学出版社，2018.
[40] 陈学锋，谢天壬．5～10岁儿童发展性学习困难的教育干预研究[J].心理发展与教育，2001，(2)：13-18.
[41] 肖征．儿童多动症的心理诊断与防治[J].丹东师专学报，2003，25（4）：72-73.
[42] 张曼华，陈楠．儿童抑郁症的临床特征及心理干预[J].中国妇幼保健，2008（32）：589.
[43] 李博，李文才．儿童多动症的成因分析及教育干预措施[J].广东教育学院学报，2009，29（4）：20-22.
[44] 沈晓明．儿童铅中毒[M].北京：人民卫生出版社，1996.
[45] 张建平，王子婵，袁文瓒．日用陶瓷铅溶出量与儿童多动症关系的探讨[J].中国陶瓷，2007，43（12）：52.
[46] 贾春萌．儿童多动症的成因与矫正[J].科教导刊，2005，(1)：135.
[47] 赵新喜等．儿童多动症的心理疗法和行为矫正效果探讨[J].实用儿科临床杂志，2001，16（5）：359.
[48] 雷燕，李燕红．儿童多动症的表现特征及教育干预措施[J].重庆职业技术学院学报，2005，14（4）：119-120.
[49] 何云．提高元认知水平，培养小学生的自学能力[J].读与写，2013（3）：220.